하늘의 푸르름을 아는 사람이여

누카가 미오

목차

프롤로그

어느 노래에 나오는 이야기다.

간다라.
그곳은 어떠한 꿈도 이루어지는 곳이었다.
모두가 가고 싶어 하지만, 너무나도 먼 유토피아.

나는, 우리는 찾고 있다.
어떠한 꿈도 이루어지는 곳을.

제1장

1

"도쿄."

진로 지도실은 조용했다. 방과 후의 복도는 떠들썩한데, 신나게 수다 떠는 소리와 웃음소리가 들려오는데, 이상하게 매우 고요하다. 자신의 목소리가 천장과 바닥, 서류가 쌓인 책장에 빨려들어 가는 것 같았다.

"도쿄에 갈 거예요."

예상대로 선생님은 아오이의 진로 조사표를 노려보며 살짝 의아해하는 표정을 지었다. 선생님의 안경알이 마치 당황한 것처럼 하얗게 빛난다.

"아이오이…… 장소는 알겠다만 그게 진로 희망은 아니잖니. 취직하려고?"

"아르바이트하면서 밴드로 천하를 제패하려고요."

아오이는 책상에 한쪽 팔꿈치를 괴며 한 마디씩 곱씹듯이 말했다.

이번에야말로 선생님 미간에 뚜렷한 주름이 잡혔다.

"밴드? 멤버는?"

"저 혼자입니다."

혼나지 않은 것만 해도, 한숨을 쉬지 않은 것만 해도 다행일지 모른다. 선생님은 머리를 싸쥐고 싶은 충동을 간신히 억누르는 표정으로 아오이에게 몇 가지 질문을 더 던졌다. 아직 고2니까 남은 1년 동안 제발 다시 생각해 보라고 당장에라도 말리고 싶어 하는 투였다. 아오이는 선생님 등 뒤에 있는 서류함에서 비어져 나온 프린트를 멍하니 바라보았다.

결국, 선생님은 조사표에 "취직으로……." 하고 갈겨썼다. 종이 위를 긋는 건조한 소리에 가슴속이 뒤틀리는 듯했다.

"자, 다음."

아오이가 자리에서 일어나 가방과 베이스 케이스를 손에 듦과 동시에 선생님이 "오타키. 들어와." 하고 다음 차례 학생을 불러 들였다.

문을 열고 들어온 사람은 같은 반인 오타키 치카였다. 물들인 건지는 몰라도 묘하게 밝은 머리카락을 손가락으로 돌돌 말며 이쪽을 힐끗 본다. 눈이 마주쳤다.

아오이가 아무 말 없이 어깨에 멘 베이스 케이스를 고쳐메자 문으로 가는 길을 터 준다. 아오이는 넓은 보폭으로 성큼성큼 진로 지도실을 나왔다.

"……아이고 무셔라."

그런 목소리가 똑똑히 들렸지만 돌아보지 않았다.

문을 닫을 때 "전 시집갈 거예요~!"라고 치카가 말했다. 달콤한 탄산 주스 같은 목소리였다. 마시면 이에 설탕이 착 달라붙을 듯한, 끈적끈적하게 단 쪽.

"아직 상대는 없지만요~."

분명 선생님은 아오이가 '밴드로 천하를 제패하겠다'라고 했을 때와 똑같은 표정을 지었으리라. 제발 똑같이 취급하지 말아 주길 바랐지만, 보나 마나 선생님에겐 도긴개긴이다. 그리고 그녀의 조사표에도 '취직'이라고 썼을 게 뻔하다.

아오이는 아무와도 말을 섞지 않고 출입구 앞에서 신발을 갈아 신었다.

수업이 끝난 시간의 교내는 떠들썩했다. 운동장에서는 운동부의 구령이 들리고, 합주부의 합주와 합창부의 노랫소리도 울린다. 신발장에 나열된 다채로운 신발 뒤꿈치까지 왠지 모르게 즐거워 보였다.

내 마음도 모르고, 라는 소리가 입 밖에 튀어나올 뻔했다.

교정을 나가자, 정확한 타이밍에 아이보리색 짐니* 한 대가 정문에서 들어왔다.

아오이의 언니, 아카네가 운전석에서 이쪽을 향해 손을 흔들었다.

---

* 스즈키에서 생산하는 스포츠 유틸리티 차량(SUV).

"진로 상담 잘 받았니~."

차 문을 연 순간 풍성한 머리카락을 날리며 아카네가 웃어 보였다.

동그란 안경을 써서 그런지 아카네의 표정은 항상 부드럽고 유해 보인다. 조금 전까지 대화했던 선생님의 무기질적인 안경과는 정반대였다.

떨떠름해하던 선생님의 표정을 떠올린 아오이는 아무 말 없이 조수석에 올라탔다.

"곧 연말이라 시청도 점점 바빠져서 다음 달엔 데리러 오기 힘들 것 같아."

학교를 빠져나간 타이밍에 아카네가 그런 말을 꺼냈다. 순간 "헐." 하는 소리가 나왔다.

"집에서 학교까지 걸으려면 1시간은 족히 걸리는데."

아카네는 시청의 주민 생활과에서 일하고 있다. 나이는 서른한 살. 요리를 잘하고, 가사도 뭐 하나 빠짐없이 완벽하게 해낸다. 그리고 독신이다.

"그래도 가을이니까 단풍을 감상하면서 등산도 하고 얼마나 좋니."

빨간 불에서 차가 멈췄다. 문득 고개를 드니 가까운 민가 앞마당에 빨갛게 물든 나무들이 보였다. 가을이다. 얼마 전까지만 해도 뭉게구름이 하늘을 뒤덮고 있었는데 어느새 완연한 가을이 되어 버렸다.

곧 있으면 고2의 한 해가 끝난다. 고등학교 생활의 마지막 1년이 점점 다가오고 있다.

신호가 파랑으로 바뀌었다. 둘을 태운 차는 시가지를 벗어나 빨강, 노랑, 갈색으로 물든 알록달록한 산을 향해 속도를 낸다.

"아~ 산 싫어."

신발을 벗고 좌석 위에서 무릎을 끌어안았다. 양 무릎에 이마를 꾹꾹 누르던 아오이는 가까워지는 산을 노려보았다.

단풍이 든 나무들이, 어딘가 참한 자태를 드러내는 산들이 얄밉다.

걸어서 등교하기 싫기 때문만은 절대 아니다.

"분지는 결국 벽에 포위된 것과 마찬가지야."

아오이가 사는 이 치치부(秩父)라는 도시는 주변이 산으로 둘러싸인 분지 지역이다. 여름은 습도가 낮아 시원할 것 같지만 덥기는 매한가지다. 그리고 겨울은 지독하게 춥다.

앞도 뒤도 오른쪽도 왼쪽도 산. 가을색으로 물든 산이 겹겹이 이어진다. 산을 넘지 않으면 어디에도 갈 수 없다.

"우린 거대한 감옥에 수용된 거야."

"나왔다! 아오이의 중2 서정시."

깔깔 웃기 시작한 아카네의 옆얼굴을 보며 아오이는 뾰로통하게 볼을 부풀렸다. 그래도 아카네는 웃음을 멈추지 않았다.

"무슨 말을 하든 난 여기서 나갈 거야."

아오이는 창밖으로 고개를 홱 돌렸다. 때마침 차는 아라카와(荒川)강을 지나 사쿠라(佐久良) 다리에 접어들었다. 시내의 남에서 북으로 흐르는 아라카와강은 도쿄만까지 이어진다.

그런 감옥에 우리는 감금되어 있다. 이곳도 도쿄와, 바깥 세상과 이어져 있는 줄 알면서도 벗어나지 못한 채 하염없이 아라카와강만 바라볼 뿐이다.

아카네가 이쪽을 본다. 하고 싶은 말이 있는 듯 눈을 가늘게 뜬 그녀의 얼굴이 차창에 비쳤다. 아오이는 무릎을 끌어안은 채 못 본 척했다.

"……어?"

집으로 가는 산길을 오르는 중에 아카네가 갑자기 차를 세웠다.

비탈길에 있는 어느 집 앞에 밴 한 대가 정차해 있었다. 낯익은 아주머니들이 밴 화물칸에 짐을 싣고 있었다.

아카네가 창문을 열고 "안녕하세요~." 하고 친숙하게 인사를 건네자, 일제히 이쪽을 보고 "안녕~." 하고 웃어 준다.

"뭐 하세요?"

"오늘 밤 모임에 마사미치 씨가 사람을 너무 많이 모았지 뭐니. 방석이랑 테이블이 부족해서 지금 야마구치 씨네에서 옮기는 중이야."

그렇게 말하며 품에 안은 방석을 들어서 보여 주는 아주
머니들을 보고, 아카네는 곧바로 차에서 내렸다.

　"아, 저도 도울게요. 아오이도 나와."

　아카네의 손짓에 아오이는 "응～." 하고 건성으로 대답
하고 신발을 신었다. 시키는 대로 집 손님방에서 방석을 옮
겼다. 낡고 두툼한 방석을 품에 안자, 먼지와 곰팡이가 섞인
이상한 냄새가 났다. 지역 모임은 매번 구민회관에서 이뤄
지는데, 이렇게나 방석이 필요할 정도로 많은 사람이 모인
다니, 대체 무슨 이야기를 나누려는 걸까.

　"미안하네, 집에 가는 길이었을 텐데."

　아카네는 밴 화물칸에 접이식 테이블을 실으면서 아주머
니 한 분과 즐겁게 대화를 나누었다.

　"당연히 해야죠. 저도 모임에 나가는걸요."

　"아 맞다, 아카네. 배 먹을래?"

　"네? 먹을래요, 먹을래요!"

　아, 오늘 밤엔 디저트로 배가 나오겠네. 그렇게 아오이가
생각할 때 "언니가 사람이 참 좋아." 하고 등 뒤에서 누군가
가 말을 걸었다.

　"정말 착한 아가씨야."

　방석을 안은 아주머니가 아카네를 흐뭇한 시선으로 바라
보았다.

　눈을 가늘게 뜨고, 마치 자기 딸이라도 보듯이.

"너도 언니한테 고마운 줄 알아."

아주머니는 아오이에게 미소를 지어 보이고 자리를 벗어났다. 나쁜 의도가 전혀 없어 보이는 그 뒷모습에 아오이의 가슴속이 서서히 식어간다.

아카네가 좋은 언니라는 것은 자기가 제일 잘 안다.

교통사고로 부모님을 여읜 후로 줄곧 아카네가 아오이를 돌봐 주었다. 아직 어렸던 아오이의 밥을 매일 만들어 준 것도 고등학생이었던 아카네였다. 고등학생이 된 아오이를 차에 태워 등하교를 시켜 주는 것도, 고등학교 졸업 후 도쿄에 가겠다고 우기는 아오이를 걱정하는 것도 전부 아카네다. 아빠와 엄마가 해야 할 역할을 모두 아카네가 짊어졌다.

아카네의 웃음소리가 들렸다. 아주머니들과 뭔가 즐겁게 수다를 떨며 남은 방석을 들고 이쪽으로 걸어온다.

알고 있다. 고마워해야 한다고. '고마운 줄 알아'라고 말하고 싶어지는 주변 사람들의 마음도 이해한다.

하지만 들을 때마다 '고마운 줄 알아'라는 말을 땅바닥에 내려치고 싶어진다.

이 마음을 뭐라고 불러야 할지 아오이는 알 수 없었다.

모두와 힘을 합쳐 방석과 테이블을 옮긴 덕분에 밤 모임 시간 전에 준비를 마쳤다. 구민회관의 넓은 좌식 룸에는 오십여 명의 반상회 멤버들이 모여, 시끌벅적 떠드는 목소리가 복도에까지 새어 나왔다. 평소보다 두 배는 훌쩍 넘는 인원수였다.

뜨거운 차를 따른 찻잔을 쟁반에 받쳐 들고 아오이가 방으로 들어가자 아카네가 그것을 건네받아 한 사람씩 나눠준다. 그리고 차를 건넨 상대와 즐겁게 말을 나눈다. 그때마다 아카네는 어깨를 들썩이며 웃었다. 시시한 잡담이 뭐가 그렇게 재미있는지 웃었다.

좌식 룸 안쪽에 세워진 화이트보드에는 '제1회 음악의 도시 페스티벌'이라고 큼지막하게 쓰여 있다. 이 이벤트 때문에 사람이 이렇게 많이 모인 모양이다.

"아니지, 역시 미소 포테이토* 포장마차는 다양한 맛이 필요하다니까요. 된장에 유자나 향신료를 넣는 거예요."

왁자지껄한 소음 속에서 그 목소리가 똑똑히 들려왔다.

화이트보드 옆에서 연세 많으신 아저씨들을 상대로 나카무라 마사미치가 열변을 토하고 있었다. 아카네와 같은 서른한 살인 그는 시청 관광과에서 일하고 있다.

참고로 아카네와는 고등학교 동창이다. 한마디 더 덧붙이자면 돌싱이다.

"그런데 말이야, 정말 이런 거 한다고 사람들이 올까?"

누군가가 마사미치에게 말했다. 치치부 시청 점퍼를 입은 마사미치는 입을 크게 벌리며 목청을 돋우었다.

---

* 치치부의 향토 요리 중 하나. 작은 감자를 튀기고 미소 된장 소스로 맛을 낸 것.

"아저씨! 그런 약한 소리를 하면 씁니까, 시내에 관광객까지 뺏기는 마당에 여기서 한 방 크게 터트려 줘야죠!"

마사미치가 구태여 벌떡 일어나 주먹을 치켜들었다. 떠들썩하던 회의실의 열기가 자연스레 마사미치에게 모여들었다. 반상회 멤버들은 마사미치와 화이트보드, 건네받은 프린트를 바라보았다.

"고럼. 큰 파도를 타지 않으면 손해지. 모처럼 이렇게 관광과의 마사미치 군이 힘써 준다잖아."

마사미치의 옆에 있던 남성이 노래하듯 그렇게 말하자, 주변 아저씨들도 "하긴 그렇지." 하고 맞장구친다.

마사미치에겐 저런 구석이 있다. 사람을 움직이게 하거나 선도를 잘하는 건 아니지만, '이거 하자' '저거 해 보자' 하고 폭풍 같은 흥과 기세로 밀어붙여 주변 사람들의 귀를 솔깃하게 만드는 능력이 있다.

주위를 돌며 차를 나눠 주고 있던 아카네가 그런 마사미치를 보고 씩 웃었다.

"맞아요. 이게 꽤 나왔다는 소문이 시청에도 자자해요~."

아카네가 가슴 앞에 엄지와 검지로 동그라미를 만들었다. 돈 마크를 보여 주듯이 하며 다부진 미소를 짓는다.

"이상한 소문 흘리지 마, 아카네!"

마사미치가 당황하며 몸을 내민다. "뭐야, 거짓말이야?", "제법 나오는 거 아니야?"라는 목소리가 여기저기서 튀어나오자 마사미치가 더 우렁찬 목소리로 "아니라니까!" 하고 해명했다.

아오이는 아무 말 없이 방을 빠져나왔다. 난방을 켜지도 않았는데 회의실 공기가 뜨거워서 더웠다. 썩 유쾌하지 않은 온도였다.

부엌에 가니 난로 위 주전자가 달그락달그락 소리를 내고 있었다. 싱크대 옆 바닥에 마사츠구가 퍼질러 앉아 스마트폰에 열중하고 있었다. 또 게임에 빠져 있는 것이리라.

나카무라 마사츠구는 마사미치의 외동아들이다. 초등학교 5학년인데 보면 웃길 정도로 아빠를 쏙 빼닮았다.

회의실에서는 여전히 마사미치와 주민들의 목소리가 들려왔다.

"외부에서 가수나 밴드만 데려올 게 아니라 이번 기회에 주민들이 뭉쳐서……."

아무래도 '음악의 도시 페스티벌'이라 이벤트를 꽤 대규모로 치르려는 모양이다. 연말 음악 가요제에도 출연한 유명 엔카 가수가 온다느니, 그 가수에게 마을 홍보송을 의뢰하자느니 꽤 거창한 의견들도 잇달아 나왔다. "이미 이야기했나?", "시간 별로 없잖아?"라는 이야기도 이어졌다.

제법 큰 돈이 나왔다는 말도 아예 농담은 아니었던 모양이다.

"아오 누나도 참가하지 그래?"

난롯불을 끄는데, 갑자기 마사츠구가 그렇게 물었다. 시선은 게임에 박혀 있다. 좌우 손가락만 바쁘게 움직인다.

"동네 축제에 이용당한 순간 그건 음악이 아니야."

아오이는 보글보글 끓는 뜨거운 물을 보온 포트에 따르면서 대답했다. 회의실의 뜨거운 공기가 생생하게 떠오른다.

"음악은 즐기기만 하는 게 아니야. 삶의 쓸쓸함도 담겨 있어야 하는 법이라고."

"본인은 멋있다고 생각한 말이겠지만, 하나도 안 멋있어."

마사츠구가 무미건조한 목소리로 건방진 소리를 한다. 스마트폰에서 고개를 들지 않는 마사츠구의 말에 아오이는 콧방귀를 뀌었다. 주전자를 난로 위에 다시 올렸다. 금속과 금속이 부딪치는 달캉 소리가 생각보다 크게 부엌에 울렸다.

그제야 슬금슬금 짜증이 치밀어 올랐다. 선생님의 '취직으로…….' 도, 치카의 '무셔라.' 도, 동네 아주머니의 '고마운 줄 알아.' 도 전부.

입술을 한껏 비튼 아오이는 게임에 빠진 마사츠구의 관자놀이에 주먹을 대고 마구 돌렸다. "아야야야야!" 하고 마사츠구가 양다리를 파닥거리며 비명을 질렀다.

"어쨌거나 지금은 음악으로 되살아나야죠!"

그때에도 마사미치의 목소리가 들려왔다. 되살아날 수 있으면 혼자 되살아나든가, 하고 아오이는 속으로 악담을 했다.

밤 7시가 지났는데도 행사에 관한 논쟁은 식을 줄 몰랐다. 이제는 연회 자리와 같은 분위기로 바뀌어 있었다.

아오이는 대량의 신발들이 늘어선 현관에서 신을 갈아 신고, 마사츠구와 함께 구민회관을 나왔다.

"아오이, 츠구!"

등 뒤에서 마사미치의 목소리가 들렸다. 걸음을 멈추고 뒤돌아보니 현관에서 마사미치가 얼굴을 내민다. 신발을 신고 달려왔다.

"오늘도 그 사당에서 연습해?"

"응."

배 언저리를 긁적이면서 어딘가 말하기 어려운 듯 물었다.

"9시 전에 끝내 줘. 네 베이스 소리가 묘하게 울려서 소름 돋거든."

마사미치는 아오이의 등에 진 베이스 케이스를 슬쩍 보고는 그런 무례하기 짝이 없는 소리를 꺼냈다.

되받아치기도 싫어서 아오이는 그대로 발걸음을 돌렸다.

"우리 집에도 방음실 있어."

한두 걸음 내디뎠을 때 마사미치가 나직이 말했다.

"뭐?"

다시 뒤돌아보자, 마사미치가 이번에는 뒤통수를 긁적이고 있었다. 입을 꾹 다물고, 뺨을 살짝 붉혔다. 어둠 속에서도 그것이 똑똑히 보였다.

"형부, 갖고 싶지 않아?"

천천히 공을 토스하는 듯한 그런 어투였다. 그 의미를 모를 정도로 아오이는 바보가 아니다.

코흘리개도 아니다.

요컨대 마사미치와 아카네가 결혼한다는 뜻이다.

"……뭐?"

그런데도 그 말밖에 나오지 않았다. "아빠, 너무 돌직구야." 하고 마사츠구가 어깨를 으쓱한다. 이래서야 어느 쪽이 아들이고 어느 쪽이 아빠인지 모르겠다.

숨을 들이마셨다. 동네 아저씨들도 아니고, 마사미치의 장단에 놀아날까 보냐.

"이혼남한테는 죽어도 안 보내."

그렇게 단언하자, 이혼남이라는 단어가 마음에 들지 않았는지, 마사미치가 분한 표정으로 발을 구르며 분해했다.

"난 상대방이 바람 피운 피해자야! 청렴하고 떳떳한 돌싱이라고!"

"내 알 바 아냐."

뭐가 청렴하고 떳떳한 돌싱이야. 애초에 아들 앞에서 잘도 그런 말을 하네.

마사츠구를 흘끗 보니 어이없는 얼굴로 아오이의 뒤를 따라왔다.

"아, 저기, 아오이!"

또 마사미치가 무슨 말을 하려고 했다. 걸음을 멈추지 않고 "왜～."라고만 대답했다.

하지만 다음에 날아온 말에, 이름에, 다리를 움직일 수 없었다.

"……신노, 기억해?"

그리운 이름에 장딴지 부근이 뻣뻣해졌다. 장딴지에서부터 온몸으로 묘한 긴장이 퍼져 나간다.

"글쎄……. 기억이 날 듯 말 듯. 왜?"

여전히 돌아보지 않은 채 대답했다. 사실은 돌아볼 수가 없었다.

"아, 아냐……. 기억 못 하면 됐어."

그러고 또다시 "9시 전에 연습 끝내."라고 하며 구민회관으로 돌아갔다. 아오이는 흥 하고 콧방귀를 뀌었다.

기억하고 있지 않다. 관심도 없다.

콧방귀로 그것을 표현하려고 했었다.

2

아오이가 사는 산간 마을 한 귀퉁이에 오래된 사당이 있다. 구민회관에서 걸어서 몇 분밖에 걸리지 않는, 초목으로 둘러싸인 조용한 장소다.

하지만 그곳이 매일 같이 북적이던 시기가 있었다. 아오이가 겨우 서너 살쯤일 때다. 당연히 아카네는 고등학생이었다.

그 무렵 사당은 신노—— 카나무로 신노스케와 아카네와 마사미치, 그리고 반바와 아보라는 고등학생이 모이는 곳이었다.

다섯 명 모두 같은 고등학교에 같은 반이었고, 아카네만 뺀 네 사람은 밴드를 결성했다. 신노가 기타, 아보가 베이스, 마사미치가 드럼이고, 반바가 보컬. 시내의 라이브 하우스에 넷이서 공연한 적도 여러 번 있었다.

어떻게 아느냐면 아오이도 아카네와 함께 몇 번이나 그 공연을 보러 갔으니까. 밀폐되어 후덥지근한 라이브 하우스에서 색색의 조명이 그들의 얼굴과 손을 비추었다. 관객도 꽤 있었다. 지금 생각하면 제법 인기가 많았던 것 같다.

그런 그들의 연습 장소가 이 사당이었다.

그러고 보니 아카네는 종종 주먹밥을 만들어 사당에 가져가곤 했다. 그런 아카네를 따라 아오이도 자주 사당에 갔다. 사당에는 작은 이로리*가 있는데 항상 거기에 아카네와 앉아서 기타와 드럼을 연습하는 그들을 구경했다.

아오이 자신도 다섯 번째 밴드 멤버가 된 듯한 기분이었다.

신노와 아카네는 사귀고 있었다. 어떤 경위로 사귀게 되었는지는 듣지 못했다. 하지만 어쩐지 신노가 아카네를 좋

---

* 마룻바닥을 사각형으로 도려 파서 만든 취사, 난방용 장치.

아하게 되어 적극적으로 어필했고, 아카네가 "아하하." 하고 웃으면서 승낙했을 것 같다.

그러한 장면이 쉬이 연상되었다.

신노는 참치마요 주먹밥을 좋아했다. 하지만 아카네는 항상 다시마조림 주먹밥만 만들었다. 다시마조림에 살짝 참깨가 뿌려져 있었는데, 그것이 새하얀 쌀밥과 어울렸다. 아오이는 밥의 수분을 흡수해 촉촉해진 구운 김과 맛이 진한 다시마를 좋아했다.

하지만 아카네가 만들어 온 주먹밥을 우물우물 먹은 신노는 "또 다시마 걸렸네."라며 어깨를 으쓱했다.

"오늘은 전부 다시마야."

아카네는 장난스럽게 웃으며 무릎 위에 앉힌 아오이를 끌어안았다.

"에엥! 어째서! 참치마요 좋아한다고 내가 만 번은 말한 것 같은데!?"

소리치는 신노를 곁눈질하며 아카네는 아오이를 보았다.

"다시마가 좋아."

아카네가 만든 주먹밥을 덥석 베어 물며 아오이가 그렇게 말하면 아카네는 기쁜 듯이 웃었다.

항상 그랬다.

"아오이한테 졌네."

마사미치가 주먹밥을 먹으며 말했다. 그 뒤에서 반바와 아보가 "아, 진짜 다시마네.", "만 번이나 말했는데 졌구나."라며 신노를 보았다.

"시끄러워, 인마. 연습하자!"

주먹밥을 입안에 틀어넣은 채 신노가 기타를 둘러멘다. 사당 밖에서 들어오는 빛에 보디가 반짝이는 깁슨 파이어버드, 통칭 아카네 스페셜이라는 살짝 부끄러운 이름의 기타를.

"뭐? 아직 먹고 있는데~."

반바가 그렇게 투덜거려도 몸을 일으킨 신노는 소리 높여 외쳤다.

"얼른 먹어. 나의 '아카네 스페셜'이 폭발한다!"

남학생 특유의 저음, 하지만 당당하고 맑은 목소리가 사당에 울려 퍼진다. 신노는 보컬이 아니었지만 어째서인지 아오이의 귀에는 그의 목소리가 항상 잘 스며들었다.

홀린 듯이 아오이의 가슴속에서 목소리가 새어 나왔다.

"나도……."

제일 먼저 아카네가 아오이를 보았다. 이어서 신노가 이쪽을 돌아보았다. 촉촉한 눈동자가 아오이를 응시한다.

"하고 싶어."

자신의 말이 신노의 눈동자 속에 빨려 들어간다. "오?" 하고 두 눈을 반짝인 신노가 기타를 들어 올려 보였다.

"그럼 기타 가르쳐 줘?"

아카네 스페셜이라고 이름 붙인 신노의 기타다.

"………."

묵묵히 고개를 젓자, 신노는 "엥?" 하고 미간을 찌푸렸다.

"그럼 뭐가 하고 싶은데?"

아오이의 손이 자연스럽게 아보를 가리켰다.

고개를 기울인 아보가 자신의 손에 들린 베이스에 시선을 떨구었다.

"아, 진짜? 날 동경한 거야? 아오이?"

아니. 그건 아니야.

목구멍까지 올라온 말이 목 안에서 연쇄 추돌 사고를 일으켰다. 주먹밥을 떨굴 뻔해서 서둘러 양손으로 눌렀다.

그러는 아오이를 보며 신노가 씨익 웃었다.

"그럼 좀 더 크면 아오이가 우리 밴드의 베이스다!"

하얀 이를 드러내며 씩 웃는 신노에게 아오이는 순간 아무 말도 하지 못했다. 아보가 "야! 그럼 나는!" 하고 신노에게 대드는 가운데, 아카네가 아오이에게 얼굴을 맞대었다.

"잘됐네! 아오이."

아오이는 기세등등하게 고개를 끄덕였다. 몇 번이고 고개를 아래위로 흔들었다.

"아보는 코러스하면 되겠네."

"뭣이!?"

티격태격하는 신노와 아보를 마사미치와 반바가 낄낄거리며 지켜본다.

그러면서도 신노의 눈은 이쪽을 향했다.

아니, 아오이가 아니라 아카네를 향했다. 아카네도 신노를 보고 있었다. 흐뭇한 광경을 바라보듯 부드럽고 사랑스러운 눈빛이다.

그 시선에 응하듯 신노도 아카네에게 미소 지었다.

"자자, 연습해야지?"

드럼 담당인 마사미치가 스틱을 소리 나게 치고, 드럼용 작은 의자에 앉았다.

"뭐부터 할래?"

반바가 신노에게 물었다. 잠깐 고민하던 신노가 다시 아카네를 보았다.

"아카네는?"

매우 부드럽고 따뜻한 음성으로 아카네에게 물었다.

"십팔번!"

긴 머리카락을 흩날리며 아카네가 대답한다. 아보와 반바와 마사미치는 '또야' 하는 표정을 지었지만, 신노는 "좋았어!" 하고 자세를 잡았다.

"자, 시작한다. 마사미치!"

"예예."

마사미치가 스틱을 얼굴 옆에서 흔들었다. 자세를 잡고, 심벌즈를 힐끗 본다. 갑자기 진지한 눈빛으로 스틱을 거머쥐었다.

아카네가 말한 '십팔번'은 〈간다라〉를 말한다. 고대 인도에 있었던 유토피아 '간다라'. 어떤 꿈도 이루어진다고 하는 그곳을 찬양하는 노래.

그것은 지금 있는 곳을 떠나고 싶다고 하는 노래였다. 자신의 미래를 바라는 노래였다.

아~ 점점, 점점 떠오른다.

밤의 사당은 불을 켜도 어두침침하다. 그곳에서 아오이는 베이스를 치며 과거에 이곳에서 주고받았던 대화를, 노래를, 자신의 음성으로 내뱉는다.

아웃도어용 의자에 다리를 꼬고 앉아, 허벅지에 베이스를 올려 노래를 불렀다. 더 포크 크루세이더즈[*]의 〈너무 슬퍼서 참을 수가 없었다〉였다.

참을 수 없는 가슴속 감정과 슬픔을 들여다보는 이 노래는 지금 자신의 심경을 대변해 주는 것 같았다. 피크로 베이스 줄을 쳤을 때 나오는 낮은음에 아오이의 높은음이 입혀진다.

하지만 어딘가 목소리에 짜증이 섞이는 건 아까 구민회관에서 마사미치가 그딴 소리를 해서다. 분명히.

아니, 애초에 신노의 기억을 떠올리게 된 것도 마사미치가 그의 이름을 언급했기 때문이다.

---

* The folk Crusaders. 일본의 60년대 포크 그룹.

"아까 우리 아빠 말이야."

사당 구석에서 게임을 하던 마사츠구가 갑자기 입을 열었다. 무시하고 노래를 부르자, 마사츠구가 스마트폰에서 고개를 들었다.

"나도 찬성 안 했어."

마사츠구는 미간을 찌푸린 채 어조를 높였다.

"그런데 아빠도……."

"여기선 그 얘기 꺼내지 마."

노래를 멈춘 아오이가 강하게 쏘아붙였다.

신노의 목소리도, 물론 기타 소리도 들을 수 없게 된 이곳에서 아카네와 마사미치가 결혼할지도 모른다는 생각은 하기도 싫었다.

"여기만 아니면 돼?"

"싫긴 하겠지만 여기보단 낫겠지."

골판지 상자가 쌓여 있는 사당 구석에는 예전에 마사미치가 두드렸던 드럼이 방치된 채다. 지금 아오이가 앉은 아웃도어 의자 역시 신노 무리가 이곳에 가져온 물건일 터이다.

산을 이룬 골판지 상자 뒤에는, 한 대의 기타가 있다.

신노의 기타다. 아카네 스페셜. 케이스째 접착테이프로 칭칭 감겨 있다.

베이스를 쳐 보고 싶다고 한 어린 아오이에게 신노는 정말 기타 치는 법을 가르쳐 주었다. 아오이의 작은 몸에는 베이스가 너무 커서 줄 네 개를 누르는 것조차 힘들었다. 항상 신노에게 "그게 아니지! 더 꽉 눌러야지!"라는 지적을 들었다. 그러면서도 그는 포기하지 않고 끈기 있게 연습을 도와주었다.

그 옆에는 언제나 아카네가 있었다. 신노의 옆에도 항상 아카네 스페셜이 있었다.

하지만 신노는 아카네 스페셜을 두고 마을을 떠났다.

3

"그게 무슨 말이야?"

아카네가 운전하는 짐니의 조수석에서 대놓고 한숨을 내쉬었다. 창틀에 팔꿈치를 괴고 아카네를 의심스럽게 쳐다보았다.

어제 모임에서 논의되었던 음악 도시 페스티벌 뭐시기는 마사미치의 제안대로 대대적으로 치르는 것으로 결론지었다고 한다. 개최일은 11월 4일. 문화의 날 대체 휴일. 연휴 마지막 날에 유명 엔카 가수의 노래로 마을을 부흥하려는 취지인 듯했다.

"애초에 언니는 관광과도 아니잖아. 왜 마사미치를 도와야 해?"

시청 관광과 소속인 마사미치가 중심이 되어 준비하는 행사에 어째서인지 주민 생활과에 있는 아카네가 마사미치의 보조로 동원되었다는 것이다.

"음, 뭐랄까…… 마사미치가 부탁해서. 우리 부서에서도 지시가 떨어졌거든."

핸들을 쥔 아카네가 쓴웃음을 지었다. 형부 갖고 싶지 않느냐고 하던 마사미치의 목소리가 귓속을 맴돌았다. 형부는 얼어 죽을, 이 이혼남아! 하고 꽥 소리치고 싶은 충동을 억지로 삼켰다.

일부러 아카네에게 도움을 청하다니 흑심이 다 보였다.

"언니, 마사미치가 언니 노리는 거 알지?"

마사미치는 그렇게 야무지지 못하다. 아카네를 향한 연애 감정을 본인 앞에서 완벽하게 감출 수 있는 남자가 아니다.

"음, 그거야 뭐."

차가 산길을 오른다. 뒷좌석에서 아카네의 가방이, 아오이의 베이스가, 슈퍼마켓의 비닐봉지가 격하게 흔들렸다.

"기대하게 만들지 마."

"어릴 때부터 친구고 직장도 같잖아. 그런 눈치라도 관계상 입 밖에 내면 안 되는 일도 있어. 그게 어른의 매너야."

교차로에서 왼쪽으로 꺾은 차는 느긋하게 아오이네 집 마당으로 들어간다. 아카네는 난처한 얼굴로 미소 짓고 있었다.

아카네는 옛날부터 자주 이런 얼굴을 지었다. 부모님이 돌아가신 후부터, 아오이와 둘이서 살게 되고부터, 곤란한 얼굴이나 슬픈 얼굴 위에 아주 옅은 미소를 덧씌우게 되었다.

"어른은 참 따분해."

아오이는 조수석 문을 열면서 말했다. 그 말 자체가 스스로 어린애임을 주장하는 것인 줄 알면서도 말하지 않고서는 못 배길 것 같았다.

"그것보다."

아오이가 기타를 빼려고 뒷좌석 문을 잡았을 때 차에서 내린 아카네가 이쪽을 보았다.

"다시 한번 생각해 보지?"

온화한 표정을 지은 채 아카네가 고개를 살짝 갸웃거리며 물었다.

"뭘?"

일부러 더 모르는 체했다.

무엇을 '다시 한번'이란 말인지, 무엇을 '생각해 보라는' 말인지, 똑똑히 알아들었다.

"진학 말이야. 솔직히 공부하면서도 밴드는 할 수 있잖아."

뒷좌석에서 케이스에 든 기타를 꺼내고 문을 닫았다. 일부러 쾅! 소리 내어 닫았다. 차창에 심기가 나빠진 자신의 얼굴이 비쳤다.

아오이의 왼쪽 눈에는 점이 있다. 눈 밑도 눈 위도 아닌, 안구에 점이 있는 것이다. 흰자위 부분에 검은 점이 콕 찍혀 있다.

그 점마저도 짜증으로 일그러져 있었다.

"이미 다 끝난 얘기야. 더는 토 달지 않기로 약속했잖아."

기타를 어깨에 메고 발 빠르게 차에서 떨어졌다.

"응." 하는 아카네의 대답 소리가 마른 나뭇잎 냄새를 실은 바람을 타고 들렸다.

"약속 지켜."

연습하러 갈래. 아오이는 무뚝뚝하게 그렇게 말하고 사당으로 향했다.

뒤돌아봐서 아카네가 계속 이쪽을 보고 있다면 어떤 표정을 지어야 할지 모르겠다. 그래서 돌아보지 않았다. 그저 앞만 주시했다.

흙먼지가 섞인 듯 까끌까끌한 바람이 전방에서 불어왔다. 눈에 먼지가 들어간 느낌에 왼쪽 눈을 비볐다. 한 번 비벼서는 이물감이 사라지지 않아서 두 번, 세 번 비볐다.

신노에게도…… 카나무로 신노스케에게도 아오이와 똑같은 점이 있었다. 왼쪽 눈에 콕 하고, 검은 점이 찍혀 있다.

옛날에 아오이에게 한창 베이스를 가르쳐 주던 중에 신노가 발견했다. 자신과 아오이에게 같은 점이 있다는 것을.

"어, 너 자세히 보니 눈알에 점이 있네."

어린 아오이의 얼굴을 들여다보며 자기 왼쪽 눈을 가리켰다.

"나랑 똑같아!"

신노와 자신에게 똑같은 점이 있다는 것을 알았을 때는

묘한 기분이 들었다.

갑자기 가슴 언저리가 가벼워지더니 서서히 뜨거워졌다. 누군가와 똑같은 점이 있어서 기뻤다는 그런 단순한 감정이 아니었다. 훨씬 복잡해서 아오이도 그 감정의 정체를 알 수 없었다.

"눈알에 점이 있으면 큰 인물이 된대. 우린 눈알 스타야!"

하지만 솔직히 한마디로 표현하자면 기뻤다. 갖가지 감정이 섞인 복잡한 '기쁨'이었다.

기쁜 나머지 신노의 말을 흉내 냈다.

"눈알 스타!"

자신의 왼쪽 눈을 가리키며 들뜬 목소리를 냈다. 옆에 있던 아카네가 풋 하고 웃음을 터트리더니 "이름 이상해." 하고 웃었다. 신노는 "왜! 멋있구만!" 하고 언성을 높였다.

멋있다! 라고 아오이는 생각했다.

눈알 스타.

아오이와 신노의 눈에 찍힌 자그마한 스타의 증표.

사당까지 가는 길은 십여 분 정도밖에 걸리지 않았는데, 어느샌가 태양이 산 너머에 절반 정도 모습을 감추고 있었다. 하늘이 주황색에서 푸른빛이 도는 보라색에 침식되어 간다.

산으로 둘러싸인 이 마을에 뚜껑이 덮인 듯했다.

사당 문을 난폭하게 열고 내팽개치듯이 신발을 벗었다. 오른쪽 신발이 저 멀리 날아가 버렸지만, 돌아갈 때 주우면 되지 싶었다.

기타 케이스에서 베이스를 꺼내고, 케이스는 근처에 대충 내버려 뒀다. 스트랩을 어깨에 걸고 베이스와 이었다. 짜증 섞인 손놀림으로 앰프에 선을 꽂았다.

앰프 볼륨도 최대치로 올렸다.

아무도 없는 사당의 공기는 썰렁하니 추웠다. 손톱 끝에 냉기가 스며든다. 오른쪽 엄지와 집게손가락을 맞비볐다.

크게 숨을 들이마셨다.

오른손을 크게 들어 기타 줄에 내리쳤다. 손가락 끝을 세차게 두드리듯이, 베이스와 함께 온몸에서 소리를 내뱉듯이 쳤다.

조금 전 아카네가 한 말이 맴돈다. 격한 베이스 소리 속에서도 귓가에 똑똑히 들렸다.

'다시 한번 생각해 보지?' 라는 목소리가 들린다. 마사미치의 '형부 갖고 싶지 않아?' 도…… 그 뒤에는 역시 동네 아주머니의 '고마운 줄 알아.' 도, 선생님의 '취직으로…….' 도.

물속에 잠겨 있는 느낌이다. 수면을, 공기를 찾아 죽을 둥 살 둥 물을 헤치고 있다. 허우적거리고 있다. 베이스를 치며 저항하고 있다.

그렇게 생각하니 정말 숨이 막혀 왔다. 입을 크게 벌려 숨을 들이마셨다.

그때였다.

"시끄러워!!"

베이스 소리를 어떤 노성이 갈랐다.

어깨를 움찔한 아오이는 소리가 들린 쪽을 천천히 돌아보았다. 목에서 끼기기긱 소리가 나는 듯했다.

"뭐야, 갑자기! 게다가 리듬이며 타이밍도 엉망진창……."

아오이가 항상 앉는 아웃도어 의자에 남자애가 앉아 있었다. 아오이가 다니는 고등학교의 차이나 칼라 교복을 입은 남자아이가.

무릎 위에 기타를, 접착테이프로 칭칭 감아 봉인해 두었던 아카네 스페셜을 안고 있었다.

매우 낯익은 남자아이였다.

그는 미간을 찌푸린 채 아오이의 연주를 지적했다. 발끝으로 짜증스럽게 사당 바닥을 찬다. 검게 윤기 나는 낡은 나뭇결을 쿵쿵쿵 울렸다.

"어떻게……."

간신히 목구멍에서 목소리를 쥐어짜 냈다. 사당 밖은 점점 어두워져 간다. 창문으로 들어오는 빛도 점점 약해진다.

그런데도 그의 모습이, 얼굴이, 눈이, 아오이에게는 똑똑히 보였다. 희미한 석양에 그의 윤곽이 더욱더 강하게 드러난다.

반짝이는 눈을 갖고 있다. 예쁘게 광낸 돌 같은 눈동자다.

하지만 왼쪽 눈에 점이 있다. 눈 밑도 눈 위도 아닌 안구의 흰자위에 검은 점이 콕 찍혀 있다.

아오이와 똑같다.

"넌 누구야?"

의자에 앉아 있는 그가 아오이를 올려다본다. 아오이는 마른침을 꼴깍 삼켰다.

──우린 눈알 스타야!

저 얼굴이 그런 말을 했었다.

"신노……?"

눈알 스타를 가진 신노가 지금 눈앞에 있다.

그로부터 13년이나 지났는데. 이제 아오이는 고등학교 2학년인데. 아카네와 마사미치는 서른하나가 되어 시청에서 일하고 있는데. 모든 것이 다 지나가 버렸는데, 그 무렵의 그가 눈앞에 있다.

"아!"

갑자기 눈앞의 신노가 아오이를 향해 손가락질했다. 긴장한 표정을 짓는가 싶더니 이내 득의양양한 미소를 띠었다.

"그거 우리 학교 교복이잖아. 혹시 내 팬이야?"

우쭐한 표정으로 오른손을 불쑥 내민다.

"악수해 줘?"

어딜 보아도 신노가 분명한 그의 펼쳐진 손바닥을 보며 아오이는 천천히 베이스를 어깨에서 내렸다. 그랬다. 신노는 이런 사람이었다. 기분파에 조금 멍청하지만 순수했다. 그 무렵에는 한참 오빠인 그의 그런 모습이 멋있어 보이기도 했다.

앰프 옆에 베이스를 기대 세운 아오이는 심호흡을 했다. 옅은 숨을 들이켜서 멈추고, 사당 출구를 향해 뛰기 시작했다.

"엥?"

당황한 신노의 목소리를 뿌리치고 사당 밖에서 문을 쾅 닫았다.

문손잡이를 양손으로 꽉 쥔 채 가까스로 숨을 들이마셨다. 마시고, 뱉고, 마시고, 뱉고…… 몇 번이나 호흡을 반복하다가 식은땀을 흘리고 있는 자신을 발견했다.

땀을 닦고, 천천히 문을 열었다. 아주 살짝 엿볼 수 있을 정도의 틈만큼만.

"정말, 신노다……."

그곳에는 신노가 있었다. 아무리 눈을 끔뻑이고 눈을 비벼도 신노였다.

고등학생인 카나무로 신노스케가 그곳에 있었다. 갑자기 뛰쳐나간 아오이 때문에 놀랐는지, 그는 바닥에 주저앉아 있었다.

"맞다니까 그러네. 그런데 넌 누구야?"

몸을 일으킨 신노가 한 발짝 이쪽으로 다가왔다. 또 한 발짝, 또 한 발짝 이쪽으로 걸어온다. "아." 하는 소리가 새어 나왔다. "아, 아……." 아오이는 말을 더듬으며 뒷걸음질 쳤다.

"아, 아카네 언니이이이이이이이이이!"

있는 힘껏 문을 닫았다. 제발 열지 마라, 열지 마라, 하고 빌었다. 바닥에 굴러다니던 신발을 후다닥 신고, 달리기 시작했다.

등 뒤에서 목소리가 들렸다. "잠깐!"이나 "야!" 하고 신노가 소리친다. 양다리를 열심히 움직여 미친 듯이 달렸다. "언니!" 하고 고함치는 소리가 어두워진 하늘과 나무들로 둘러싸인 어두컴컴한 좁은 길에 삼켜져 간다.

"야, 잠깐 기다리……!!"

신노의 목소리가 부자연스럽게 끊기더니 곧바로 퍽! 하는 둔탁한 소리가 났다.

조심스레 뒤돌아보니 어째서인지 신노가 사당 입구에 찰싹 붙어서 이쪽을 노려보고 있는 것이었다. 문은 열려 있는데 마치 투명한 벽에 막히기라도 한 것처럼 버둥거리고 있었다.

"여기서 못 나가잖아아아아아!"

한층 더 커진 노성에 아오이는 "으아아아앗!" 하고 머리를 싸매며 달리는 속도를 높였다. 이렇게 빨리 달리는 자신에게 놀라면서 집을 향해 내달렸다.

"어, 언니!"

신발을 대충 현관에 벗어 던지고 부엌으로 뛰어 들어갔다.

아카네는 콧노래를 흥얼거리며 볼에 넣은 다짐육을 반죽하고 있었다. 오늘은 멘치카츠* 아니면 햄버그스테이크인가. 멘치면 좋겠다. 아오이는 머릿속 한편으로 그런 생각을 했다.

"응? 벌써 연습 끝났어? 오늘은 아오이가 좋아하는 멘치……."

"시, 신노가!"

아카네의 말을 끊으며 소리치자 멘치 재료를 반죽하던 아카네의 손이 멈췄다. 분명 멈췄다.

아카네가 천천히 이쪽을 보았다. 아카네의 안경이 조명 빛을 희미하게, 그러면서도 날카롭게 반사한다.

"신노가, 왜?"

그렇게 언니, 언니 소리치며 달려와 놓고 막상 말이 나오지 않았다.

사당에 신노가 있었다. 고등학생 모습인 신노가 있었다. 내 눈으로 똑똑히 봤다. 그런 말을, 신노의 이름을 들은 순간 얼이 빠져 버린 아카네 앞에서 꺼낼 수가 없었다.

"아, 아니……. 그냥 연습하다가 갑자기 생각났거든. 뭐 하고 있을까 궁금해서……. 그게 다야."

---

* 돼지고기나 소고기 다진 것을 햄버그스테이크처럼 반죽해 튀긴 요리.

아오이는 시선을 아카네가 아닌 딴 곳으로 돌리면서 대답했다. 냉장고 문에 자석으로 붙여둔 마트 세일 광고지, 벽에 붙은 쓰레기 배출일 일람, 식기 건조대에 엎어 놓은 밥그릇과 컵을 정신없이 응시했다.

"연락 안 한 지 오래됐어."

아카네의 손이 천천히 멘치카츠 재료를 반죽하기 시작한다. 다진 고기와 잘게 썬 양파와 빵가루가 뒤섞여 질퍽이는 소리가 들려왔다.

그 소리 사이에 아카네가 옅게 한숨 쉬듯 웃었다.

"살아 있는지 죽었는지도 몰라."

아카네는 별일 아닌 것처럼 말했지만, 그 옆얼굴에는 그리움과 쓸쓸함이 잔뜩 묻어 있는 것처럼 보였다.

그때 현관에서 "아카네~." 하고 부르는 소리가 들렸다. 그러더니 발소리가 쿵쾅거리며 다가왔다.

"칠칠찮게 현관문 열려 있더라."

거실에 모습을 드러낸 사람은 마사미치였다. "마사미치?"라는 아카네의 목소리에 마사미치의 표정이 홱 바뀌며 놀란 얼굴로 이쪽을 보았다.

"둘 다 뭐 하는 거야!"

"뭐 하냐니⋯⋯."

아카네를 힐끗 보니, 그녀는 저민 고기로 범벅된 손바닥을 마사미치에게 잘 보이도록 펼쳤다.

"저녁…… 준비."

"지금 그럴 때가 아니잖아!"

발을 동동 구르는 마사미치에게 아오이는 "뭐래?" 하고 위협했다.   마사미치는 그래도 아랑곳없이 더 큰 소리로 말했다.

"이벤트 도와줘야지!"

"그건 들었는데……."

영문을 모르겠다는 얼굴로 고개를 갸웃거리는 아카네에게 이번에는 마사미치가 의아한 표정을 지었다.

"어? 내가 오늘 일 얘기 안 했나?"

"오늘?"

"어쨌든 간에! 일단 서둘러!!"

자기가 깜빡하고 아카네에게 전달하지 못해 놓고는 되레 "어서! 어서!" 하고 손짓하며 마사미치는 거실을 나갔다.

단념한 얼굴로 손을 씻기 시작한 아카네를 배웅하려고 했더니 마사미치가 다시 소란스럽게 쿵쿵대며 돌아왔다.

"아오이, 너도 와!"

잡혀 버렸다.

4

마사미치의 차를 타고 간 곳은 세이부치치부역(驛)이었

다. 저녁 7시 반이 지나니 주변은 완전히 어둠이 내려앉았다. 은은한 빛을 내뿜는 플랫폼에 특급 레드 애로호(號)가 도착했다. 회색 차체에 그인 새빨간 줄이 어둠 속에서 선명하게 드러났다.

"선생님이 오시면 쫙 펼쳐 줘! 힘 있게 쫙!"

역 앞 로터리에서 마사미치가 의기양양하게 지시를 내렸다. 그의 등 뒤를 손님을 태운 택시가 지나갔다.

모인 사람은 아오이와 아카네와 마사츠구와 문제의 마사미치를 포함한 네 사람. 커다란 플래카드를 접은 상태로 든 채 어둑어둑한 로터리에서 어느 인물의 도착을 기다리고 있다.

역 개찰구에서 사람들이 우르르 나오기 시작했다. 정장 차림의 회사원들이 플래카드를 든 그들을 보고 의아스러운 표정으로 지나간다.

"아빠, 어제 밤새워 만든 게 이거였구나……."

어이없어하는 표정으로 마사츠구가 말했다. 그러면서 한숨도 쉰다. 아오이는 기다리다 못해 역 앞 매점에서 산 미소 포테이토를 씹어 먹으면서 흥 하고 콧방귀를 뀌었다. 꼬챙이에 찔린 감자에서 달짝지근한 미소 된장 냄새가 풍겼다.

아오이 옆의 아카네도 단념한 얼굴로 감자를 입 안 가득 넣고 오물거렸다. 짜증이 난 건 마사미치 때문일까. 아니면 뚱해 있는 아오이 때문일까.

"플래카드에 된장 흘리면 안 돼."

마사미치가 아오이에게 말을 걸었다. 무시해 줬다. 난 이러고 있을 때가 아니란 말이다…….

"그런데 왜 오늘 온대? 행사는 일주일 뒤잖아."

아카네가 마사미치에게 물었다. 이들이 기다리고 있는 인물은 '음악의 도시 페스티벌'에 참가하는 유명 엔카 가수다. 니토베 단키치라고, 이름을 들으면 아오이도 대강 얼굴을 떠올릴 수 있었다. 작년 연말 음악 가요제에서 삐까뻔쩍한 가마를 타고 노래를 불렀던 것 같다.

"그게 말이야. 니토베 선생님은 지역 홍보송의 대가이시잖아. 그곳만의 맛있는 음식과 주민의 온정을 느끼지 못하면 그 지역의 혼을 노래로 승화하지 못하신다나 뭐라나."

"그 비용은 다 시청에서 대는 거지?"

아카네의 지적에 마사미치의 어깨가 움찔 흔들렸다.

"누가 봐도 등쳐 먹는 거잖아……."

마사츠구가 나지막이 말했다. '보나 마나지'라고 아오이가 대답하려는데 마사츠구가 뒤를 돌아보고 "어?" 하고 소리쳤다.

"츠구, 왜 그래?"

아오이도 미소 포테이토 꼬챙이를 입에 문 채 뒤돌아봤다.

"엥?"

소리치느라 꼬챙이가 입에서 툭 떨어졌다.

역 앞 로터리에 대형 트럭이 진입해 왔다. 드럼의 연타 소리가 들려오기 시작했다. 거인의 발소리처럼 쿵쿵 소리가 자신들에게 다가왔다.

"뭐지?"

아카네와 마사미치도 소리를 듣고 놀란 표정으로 트럭을 보았다.

트럭이 네 사람 앞에 정차했다. 트럭 짐칸이 보물 상자의 뚜껑처럼 서서히 열렸다. 그 틈에서 휘황찬란한 빛이 새어 나오고, 연타하는 드럼 소리는 더욱 커진다.

"여러분, 오래 기다리셨습니다."

트럭 짐칸에서 모습을 드러낸 사람은 전통 옷을 입은 니토베 단키치였다. 가슴에 크고 촌스러운 펜던트가 흔들린다. 가느다란 눈을 더 가늘게 뜨고 당당한 자세로 아오이와 그 무리를 내려다본다. 텔레비전에서 본 적 있는 얼굴이지만, 실물은 묘한 존재감을 풍겼다. 칠복신* 속에 모른 척 섞여 있어도 위화감이 없을 듯하다.

"나 니토베 단키치, 멀리서 산을 넘고 들을 넘어 여러분께 미소를 선물해 드리기 위해 찾아왔습니다!"

번쩍이는 펜던트와 마이크를 통해 흘러나온 커다란 목소리에 아오이는 몸을 움츠렸다.

짐칸의 덮개가 완전히 열리자, 더 강한 조명이 팟 하고 켜졌다. 조명 빛이 로터리를 환하게 비추자 귀가 중이던 회사

---

* 일본에서 말하는 행운의 신 일곱 명.

원들도 멀뚱거리며 걸음을 멈췄다. 개중에는 "니토베 단키치다!", "단키치야!" 하고 소리를 지르는 사람도 있었다. 스마트폰을 들어 사진을 찍는 사람까지 있었다.

"페, 페이크!?"

틀림없이 레드 애로호를 타고 올 줄 알았는데, 라는 얼굴로 마사미치가 소리쳤다.

아오이와 마사미치 사이에서 아카네만 쭉 침묵했다.

"언니……?"

아오이가 불러도 묵묵부답이었다. 아카네의 손에서 꼬챙이가 떨어졌다. 땅에 툭 떨어져 쓸쓸히 굴러간다.

아카네는 꼬챙이를 거들떠보지도 않고 오로지 한 점만을 주시하고 있었다.

아카네는, 니토베 단키치를 보고 있지 않았다.

그 시선을 따라간 아오이의 눈이 커졌다.

"어?"

저도 모르게 입 사이로 소리가 새어 나왔다.

니토베가 한 손에 마이크를 쥐고 걸어 나와 경쾌하게 노래를 부르기 시작했다. 온 동네에 닿을 듯한 느긋한 템포의 노래가 시작되자 술렁이던 주변에서 박수 소리가 들렸다.

니토베의 뒤에는 밴드가 있었다. 번쩍이는 조명 빛에 트럼펫과 색소폰이 반짝인다. 트롬본의 낮은음이 주위에 울려 퍼진다. 드럼에, 베이스에, 키보드에…… 기타.

기타.

금색 빛을 받은 기타를 치는 남자에게서, 아오이는 눈을 뗄 수 없었다. 보이지 않는 손이 턱을 틀어쥐고 있는 것 같았다. 눈도 깜빡일 수 없었다.

기타를 치고 있는 사람은 카나무로 신노스케였다.

그는 따분해 보이는 얼굴이었다. 무대에 서서 기타를 치고 있는데도 고등학생 무렵의 그와는 완전히 다른 사람 같았다. 아오이가 아카네와 함께 사당과 라이브 하우스에서 보았던 그와는, 기분파에 조금 멍청하지만 낄낄 웃으며 아오이에게 베이스를 가르쳐 주던 그와는 하나부터 열까지 달랐다.

이 세상에 재미있는 일 따위 하나도 없다고 주장하는 듯한 신노스케의 옆모습에 아오이는 숨을 삼켰다. 삼킨 채 호흡할 수가 없었다.

"신노⋯⋯."

아카네의 중얼거림이 들렸다.

뺨을 세게 얻어맞은 기분이었다. 반가움과 쓸쓸함과⋯⋯ 또 뭐지? 아오이는 알 수 없었다. 수많은 감정이 뒤섞인 아카네의 목소리에 목구멍이 턱 막혔다.

언니의 눈에는 분명 처음부터 니토베의 모습 따위 들어오지 않았던 것이다.

"자, 츠구! 이거 똑바로 들고 있어!"

마사미치의 목소리에 아오이는 정신을 차렸다.

플래카드는 어느새 아오이의 손에도 아카네의 손에도 없었다. 플래카드를 든 마사미치가 아오이와 아카네 앞을 휙 지나갔다. 마사츠구가 당황하면서도 플래카드 끄트머리를 꽉 쥐었다.

펼쳐진 플래카드가 로터리를 지나가는 밤바람에 펄럭인다.

【니토베 선생님, 치치부에 어서 오세요!】

플래카드에는 그런 글씨가 큼지막하게 쓰여 있었다. 하지만 아오이는 그런 것을 보고 있을 정신이 아니었다.

니토베를 환영하는 문구 아래에 조그맣게 쓰여 있었다.

【고향에 잘 왔어 신노스케!】

그 글을 보고서야 눈앞에서 연주하는 남자가 카나무로 신노스케라는 것을, 신노라는 것을 실감했다.

아무리 그 무렵과 달라졌어도 그는 신노스케라는 것을 깨달았다. 몸속에 거대하고 차가운 말뚝이 박히는 것 같았다.

신노가 돌아왔다.

5

어두컴컴한 방에 뛰어 들어간 아오이는 불단 앞에 무릎을 꿇고 앉아 손바닥을 맞댔다.

"아빠, 엄마, 그리고 조상님, 제게 힘을 주세요!"

나한테 귀신이 붙으면 제발 쫓아내 줘! 하고 타계한 부모님의 영정 앞에서 싹싹 빌고, 불단 앞에 놓아둔 염주를 낚아챘다. 그리고 거실에 놔둔 커다란 비상용 손전등을 움켜쥔 아오이는 다시 집을 뛰쳐나갔다.

집 앞에서 이제 막 돈을 내며 택시에서 내린 마사츠구가 "영수증 받은 거 어쩔까?" 하고 어쩔 바를 몰라 했다.

그런 마사츠구의 손을 덥석 잡고, 아오이는 달렸다. 눅눅한 흙냄새를 풍기는 어두운 길을, 사당을 향해 달려갔다.

달리면서 마사츠구에게 사당에서 고등학생인 카나무로 신노스케를, 신노를 봤다고 털어놨다.

"진짜 그 신노, 라는 사람이 있었다고?"

사당으로 이어지는 기둥문 아래를 지났다. 아오이라도 몸을 수그리지 않으면 지나가기 힘든 작은 기둥문이다. 등에 닿은 종이 제구가 바스락 소리를 냈다.

"응. 유령인 줄 알았는데, 역에서 본 사람이 진짜 신노라면…… 여기서 본 사람은."

"엄청 닮은 사람?"

그럴 턱이 있나. 그건 어디를 보아도 신노였다.

"나도 몰라! 하지만 그 사람도 틀림없는 신노였어……. 어떻게 된 상황인지 모르겠지만 진짜 뭔가 이상해!"

아오이는 손전등으로 발밑을 비추면서 염주를 꽉 쥐었다.

사당은 쥐 죽은 듯 조용했다. 아오이가 안을 살피며 신중하게 문을 열어 주자, 마사츠구가 주변을 둘러보며 안으로 들어갔다.

"어때?"

마사츠구의 조그마한 등을 향해 아오이가 물었다.

"음, 아무도 없는데?"

"그럴 리가……."

설마 뒤에서 스윽 나타나진 않겠지. 아오이는 등 뒤를 신경 쓰며 손전등으로 사당 안을 비추었다. 아오이가 두고 간 베이스가 앰프에 기대어 세워진 채 놓여 있었다.

아오이도 천천히 사당에 발을 들였다. 마사츠구가 전등을 켰다. 밝아진 실내에는 역시나 아오이와 마사츠구 외에 다른 이의 모습은 없었다.

손전등 스위치를 끄려고 할 때였다.

"야."

등 뒤에서 슥 하고 팔이 뻗어와 아오이의 어깨를 잡았다. 어깨를 잡은 온기에, 생각보다 가까이서 들려온 맑은 저음에, 아오이는 눈을 부릅떴다.

신노의 얼굴과 똑 닮은 놈이 잔뜩 짜증 난 얼굴로 아오이를 보고 있다.

"너, 왜 도망갔냐?"

목구멍 안쪽에서 "히이이이이익!" 하고 비명이 새어 나오며 손에서 손전등을 떨궜다. 쨍강 하는 둔탁한 소리를 내며

빛이 꺼졌다. 그 소리에 놀란 마사츠구가 "아오 누나!" 하고
이쪽으로 달려왔다.

"누나한테서 손 떼!"

믿음직스러운 말을 뱉으며 신노에게 덤벼든 마사츠구였
지만, 체격 차이가 압도적이었다. 초등학교 5학년과 고등학
교 3학년으로는 싸움도 되지 않는다. 강아지라도 상대하듯
이 한 손에 움직임이 막혀 버렸다.

"응?"

그런 마사츠구의 얼굴을 본 신노가 미간을 찌푸렸다.

"애 뭐야? 마사미치랑 붕어빵인데?"

마사미치다, 어딜 봐도 마사미치다, 라고 말하고 싶은 듯
두 눈을 반짝이며 신노가 마사츠구의 얼굴을 들여다보았다.
그 틈에 아오이는 신노의 팔에서 벗어났다. 마사츠구가 얼
른 달려와 아오이 앞에서 양팔을 벌렸다.

"다, 당신, 뭐야."

아오이의 말에 신노는 지긋지긋하다는 얼굴로 자신의 얼
굴을 가리켰다.

"신노라니까 그러네! 너야말로 누구야!"

신노가 아오이를 척 하고 가리켰다. 마사츠구가 황급히
이쪽을 돌아보았다.

"아오 누나! 일단 도망가자!"

아오.

한층 더 커진 마사츠구의 고함에 신노의 눈이 휘둥그레졌다.

"아오?"

그 눈이 아오이를 포착했다. 머리끝에서 발끝까지 몇 번이고 훑어봤다.

"아오라면……."

순간 아오이는 자신의 왼쪽 눈을 가리켰다.

안구에 찍힌 검은 점을.

"……아이오이 아오이. 눈알 스타, 2호."

13년 전, 신노가 내려 준 칭호. 그걸 입 밖에 낼 때 누군가가 목구멍을 간지럽히는 듯한 감각이 느껴졌다.

"……뭐?"

신노가 천천히 입을 열었다. 한 박자 늦게 "뭐어어!?" 하고 질겁하며 소리를 질렀다. 그의 눈이 아오이를 응시한다. 아오이의 정수리부터 발끝까지 몇 번이고, 몇 번이고 훑어보았다. 그의 기억 속 어린 아오이와 눈앞에 있는 고등학생 아오이를 겹쳐보는 듯이.

신노가 "눈알 스타가 어떻게 이렇게 커진 거지!?", "아니, 지금이 언제야? 어느 시대야!?" 하고 연거푸 질문을 쏟았다. 신노가 인식하는 시대에서 13년이나 흘렀다고 마사츠구가 설명해 주었다. 담담하게 설명하는 마사츠구와 멍하니 설명을 듣는 신노를 아오이는 그저 바라만 보았다.

이윽고 마른침을 삼킨 신노가 다시 한번 아오이를 뚫어지게 쳐다보았다. 그런 그를 보고, 아, 이 사람은 역시 신노구나, 하고 깨달았다.

"나, 그때 아카네에게……."

아오이를 바라보는 신노의 눈이 먼 곳을 응시하듯 멀어졌다.

"아카네에게, 도쿄에 안 가겠다는 말을 듣고……."

그가 언제 일을 떠올리고 있는지 금방 알 수 있었다. 가슴을 찌르는 듯한 찌릿한 통증이 스쳐 지나갔다.

13년 전이다. 아오이는 네 살이고, 아카네는 고등학교 3학년이었다.

아카네는 학교를 졸업하면 신노와 함께 도쿄에 가기로 했었다. 둘이서 그런 약속을 했다. 네 살이었던 자신은 그 사실을 아는 듯 모르는 듯한 상태였던 것 같다.

부모님이 교통사고로 돌아가신 건 그때였다. 반대편 차선을 달리던 운전사가 한눈을 판 탓에 두 사람은 돌아오지 못할 사람이 되었다.

그렇다. 그 시기였다. 이 사당 바로 옆 숲속에서였다.

자신이 왜 그곳에 있었는지는 기억이 잘 나지 않는다. 신노를 만나러 간 아카네가 그대로 어디론가 떠나 버릴까 봐 무서웠는지도 모른다. 자신이 이 세상에 혼자 남아 버리는 게 아닐까 생각했던 것인지도 모른다.

「난 안 가.」

아카네가 신노에게 그렇게 말하는 소리가 나뭇가지와 잎 너머에서 들려왔다. 해 질 녘의 숲에는 짙은 그림자가 드리워서, 아오이가 있는 위치에서는 아카네의 표정이 잘 보이지 않았다.

「왜…….」

대신 신노의 표정은 잘 보였다.

그는 놀란 얼굴이었다. 소중한 사람에게 배신당한 듯한, 애처로우면서도 슬픈 얼굴이었다.

「왜!? 약속했잖아. 같이 도쿄의 전문학교에 가기로!」

신노가 아카네의 양어깨를 잡았다. 「응? 약속했잖아.」하고 으르대는 그에게 아카네는 고개를 숙였다. 아카네의 얼굴은 보이지 않는데도 왠지 그녀가 어깨를 떨며 눈물을 참고 있는 것처럼 보였다.

정신을 차렸을 땐 아오이는 달리고 있었다. 길쭉한 풀을 헤치며 두 사람에게로 달려갔다. 날카롭고 얇은 풀에 손등이 베였다.

피맺힌 오른손을 홱 치켜들어 신노에게 덤볐다.

「우리 언니 괴롭히지 마! 이 멍청아!」

양손으로 그의 배와 허벅지를 퍽퍽 때리며 소리쳤다. 목에서 피를 토할 만큼 온 힘을 쥐어짜며 외쳤다.

「우리 언니 데려가지 마! 언니는 나랑 계속 같이 있어야 해!」

깜짝 놀란 신노의 표정이 점점 굳어 갔다. 입술을 꾹 다물고, 눈가를, 눈알 스타의 증표를 일그러뜨리며 아오이를 내려다보았다.

13년 전의 일인데도 기억이 생생하다. 저녁놀과 나무들 색깔, 신노의 거친 호흡과 아카네의 뒷모습까지, 전부 선명했다.

"나, 돌아갈 수가 없어서."

그때와 똑같은 모습의 신노가 중얼거린다. 단숨에 회상에서 현실로 끌려 나온 아오이는 홱 하고 고개를 들었다.

"그냥 여기서 이것저것 생각하다가…….."

아카네는 곤란한 얼굴로 아오이를 달래면서 돌아간다. 혼자 남은 신노가 터벅터벅 사당으로 들어가는 풍경이 아오이의 뇌리를 스쳤다.

"그러다가 정신을 차려보니 아침이 되어 있었다?"

이로리에 앉은 신노가 스스로 자문하며 고개를 갸웃거렸다. 떨어진 곳에서 책상다리를 하고 앉아 있던 마사츠구가 "왜 의문형이야?" 하고 눈을 게슴츠레 떴다. 일단은 아오이를 지키려고 신노와 대치하고 있지만, 영 미덥지 않았다.

"나야 모르지. 그런데 이상하게 몸이 무겁길래 의자에 앉아서 멍하니 있었는데 엄청난 소음에 정신이 확 깨서……."

신노의 눈이 아오이를 향했다. 참지 못한 아오이가 바닥에 양팔을 짚으며 몸을 내밀었다.

"소음? 지금 소음이라고 했어!?"

아오이의 추궁을 무시하고 신노가 낮은 목소리로 신음했다.

"정말이야, 정신을 차려보니 이 상황이었다니까. 뜬금없이 지금이 13년 후라고 하면 누가 믿겠냐."

"하긴. 신선놀음에 도낏자루 썩는다는 얘기네."

마사츠구가 턱을 문지르며 고개를 끄덕였다. 왜, 왜 이 녀석은 항상 이렇게 덤덤하고 침착한 걸까.

신노가 13년의 세월을 넘어 나타나다니, 그런 일이……그런 기상천외한 일이 정말 일어난단 말인가. 만약 그렇다고 치면 13년이라는 세월을 뛰어넘은 신노는 앞으로 어떻게 되는 건가.

"그래도 시간이 흘러 버린 걸 어쩌겠어!"

아오이가 걱정하든 말든 신노는 가볍게 그렇게 말했다.

"현실 적응이 참 빠르네."

감탄한 듯한 마사츠구의 말에 신노는 천천히 몸을 일으켰다. 아오이는 순간적으로 손에 든 염주를 들었다.

"네 덕분에 현실을 인정한 거야."

마사츠구에게 다가간 신노가 몸을 숙여 그의 머리를 거칠게 쓰다듬었다.

"아무리 봐도 마사미치 미니어처란 말이야!"

신노의 손을 휙 뿌리친 마사츠구가 아오이를 돌아보았다.

"어쨌거나 귀신은 아니네, 실체도 있고."

"하지만 그럼……."

아오이는 의아스럽게 신노를 보았다. 그에게는 다리도 있고 발소리도 났다. 체온도 있다. 옆에 있으면 호흡도 똑똑히 느껴졌다.

"생령, 인가?"

마사츠구가 중얼거렸다. "생령?"이라는 아오이와 신노의 목소리가 정확하게 겹쳤다.

"왜, 그런 말 있잖아. 누군가에게 강한 마음을 품으면 무의식중에 영혼이 날아간다고."

"나 알아! 그걸로 상대방을 저주해서 죽이기도 하잖아!"

그렇게 말한 순간 아카네의 얼굴이 떠올랐다. 아오이는 "아……." 하고 신노를 보았다.

"신노, 설마 언니한테 차였다고……."

"그 미련 때문에 나타난 건지도 모르지."

마사츠구도 납득한 얼굴로 고개를 끄덕였다. 그러나 당사자인 신노는 환한 얼굴로 자신의 무릎을 탁 쳤다.

"뭐라는 거야?"

벌떡 일어나는가 싶더니 입 끝을 씩 올리며 아오이와 마사츠구를 내려다본다.

"미련이니 뭐니 아직 하~나도 포기하지 않았어, 난!"

당당하게 선 자세로 거만하게 팔짱까지 끼며 이렇게 말을 이었다.

"이것저것 고민했지만 결정했어. 일단 도쿄에 가서 아주 유명한 뮤지션이 되는 거야! 그래서 아카네를 화려하게 데리러 오는 거지!"

신노는 주먹을 불끈 쥐는가 싶더니 양팔을 넓게 펼치며 말했다. 기분파에 조금 멍청하지만 순수한 신노다운 발상이다.

그래, 저 무렵의 신노라면 분명 그렇게 생각하고도 남았다.

"정말 무식하게 긍정적이야……."

아오이는 무심코 중얼거렸다. 마사츠구도 고개를 크게 끄덕이며 이상한 생물을 눈앞에 둔 사람처럼 신노를 올려다보았다.

자신이 대단한 뮤지션이 되는 것. 아카네를 데리러 오겠다는 것.

미래에 그렇게 되리란 것을 단 한 치도 의심하지 않는 얼굴이었다.

"그런데! 그런데 왜 이 지경이 됐냐고! 지금 아카네는 서른하나인 거잖아. 서른하나라니……!"

서른한 살의 아카네를 상상하려다가 잘 안 되었는지 신노가 숨을 삼켰다.

"설마 아카네, 결혼한 거 아니지!?"

신노가 무릎걸음으로 다가오자, 아오이는 뒤로 물러났다. "으, 응." 하고 아오이가 고개를 끄덕이자, 신노는 "좋았어!" 하고 주먹을 쥐었다.

"아, 너무 좋아하면 안 되지? 내가 빨리 데리러 가야 하는데."

"……만나 볼래?"

아오이가 쭈뼛거리며 물어보았다. 깜짝 놀라 눈을 크게 뜬 신노는 곧바로 "바보냐!" 하고 소리쳤다.

아오이가 발끈하든 말든 아랑곳없이 신노는 말을 이었다.

"어떻게 만나냐! 내 얘기 안 들었어? 대단한 뮤지션이 된 후에……."

"대단한지 아닌지 모르겠지만, 이미 됐잖아."

마사츠구가 막 떠오른 듯 "그치?" 하고 아오이를 보았다.

"아, 그러네. 당신, 서른한 살엔 뮤지션이 되긴 했어."

그것이 신노가 꿈꾸고 있는 뮤지션의 모습이냐고 묻는다면 절대 아니겠지만.

그렇게 말해 주려고 했더니 신노가 눈을 크게 뜨고 아오이와 마사츠구를 바라보았다.

눈알 스타 1호의 눈은 별처럼 반짝거렸다.

"미쳤다!"

조용해서 어딘가 사늘하던 사당 안에 신노의 열띤 목소리가 울려 퍼진다. 반대로 아오이의 가슴은 서서히 차가워졌다.

"나 잠깐 어디 좀 갔다 올게."

신노가 펄쩍 뛰듯이 사당 문을 열어젖혔다. 설마 이대로 서른한 살의 자신을, 서른한 살의 아카네를 만나러 갈 생각인가.

엔카 가수의 반주를 해 주는 자신을 본다면 과연 그는 어떻게 생각할까.

"잠……!"

아오이가 바닥에서 엉덩이를 떼려던 순간, 신노는 활짝 열린 문에서 "얏!" 하고 손을 휘두르며 나가려고 했다. 쌀쌀한 가을바람이 아오이의 앞머리를 흩날렸다.

그러나 다음 순간, 아무것도 없는 공간에서 신노의 몸은 퍽! 하고 무언가 투명한 벽 같은 것에 부딪혔고, 그 자리에서 쓰러졌다.

낙엽 냄새를 싣고 온 바람은 여전히 사당 안으로 불어 들어왔다.

서른한 살의 진짜 카나무로 신노스케와 함께 있을 아카네는 지금쯤 무얼 하고 있을까. 문득 그런 생각이 들었다. 그다지 즐거운 분위기를 풍기고 있을 것 같지는 않았다.

"정말 못 나가잖아……."

바닥에 쓰러진 신노가 신음했다. 마사츠구가 조심스럽게 문에 다가가 바깥쪽으로 손을 쑥 뻗었다. 그러나 보이지 않는 벽에 부딪히기는커녕 아무렇지 않게 사당 밖을 드나들었다. 아오이도 해봤지만 역시나 마찬가지였다.

신노만 보이지 않는 벽에 막혀 사당 밖을 나갈 수가 없었다.

"여기서 못 나간다면 생령이 아니라 지박령인가?"

아오이가 신노를 돌아보며 중얼거렸다.

"나랑 처음 만났을 때도 사당 밖으로 못 나갔잖아."

"그걸 알면서도 그렇게 뛰어들다니 대단하네."

젠장젠장 하는 신노를 마사츠구가 내려다보았다. 아오이
는 못 말리겠다는 듯 조그마한 한숨을 쉬었다.

하지만.

"꿈을, 이루는구나."

부딪힌 이마를 감싸고 있던 신노의 양손 사이에서 묘하게
촉촉한 목소리가 새어 나왔다. 반딧불이가 눈앞을 날아간
듯한 착각이 들었다.

그의 목소리는 따뜻한 서광에 휩싸여 있었다.

"그때 이런 생각을 했었어. 빨리 학교를 졸업해서 빨리
도쿄에 가서 빨리 미래가 와서, 빨리 아카네를 데리러 오고
싶다고. 그날이 빨리 왔으면 좋겠다고. 그러니까 만약에 내
가 생령이라고 해도 내가 태어난 이유는 절대 원한이 아니
야."

신노가 벌떡 몸을 일으켰다. 옆에서 쭈그리고 있던 마사
츠구가 화들짝 놀라 엉덩방아를 찧었다.

"하여튼! 잘 모르겠지만 알게 된 건 딱 하나야."

신노가 오른쪽 집게손가락을 세웠다. 왼쪽 집게손가락도
세웠다. 두 개의 손가락을 살짝 맞댔다. 두 사람이 어깨를
맞대듯이.

"미래의 나와 아카네, 두 사람을 이어 주면 전~부 원만히

해결돼. 그럼 생령인 나는 본체로 휘융 하고 돌아가겠지."

이번에는 로켓처럼 양팔을 머리 위로 올리며 씩 웃는다. 아오이는 "그건……." 하고 입을 벌린 채 말을 이을 수 없었다.

미래의 자신과 아카네를 이어 준다? 그런…… 그런 터무니없는 전개를 눈 뜨고 보라고?

아, 하지만 신노는 예전에도 그런 엉뚱한 말을 잘 꺼냈던 것 같다. 이상하게 납득해 버린 아오이는 어깨를 으쓱했다. 마사츠구도 같은 반응을 보였다.

"너한테 맡기마, 눈알 스타!"

신노의 시선이 갑자기 아오이를 향했다. 13년 전과 똑같이 반짝반짝하고 맑은 눈동자다.

"……뭐?"

나? 하고 아오이는 자신의 얼굴을 가리켰다. 신노는 "너 말고 누가 있냐?" 하고 고개를 크게 끄덕였다.

"옛날부터 저랬어?"

아오이가 들고 온 손전등으로 밤길을 밝히면서 마사츠구가 물었다.

"음…… 아마도. 그래도 조금은 어른으로 보였었는데."

그 무렵 자신은 네 살이었다. 지금은 당시의 신노와 같은 고등학생이다. 어렸던 자신에게는 신노가 성숙한 어른으로 보였으리라, 분명.

"어쩔 거야?"

멈춰선 마사츠구가 진지하게 물었다.

사당에서 기둥문으로 이어지는 좁은 길은 어두웠고, 마사츠구의 얼굴에 시꺼먼 그림자가 졌다.

"신노 형 말대로 두 사람이 이어지게 도울 거야?"

반짝거리던 신노의 눈을 떠올렸다.

이어서 오늘, 니토베의 백업 밴드로 역 앞에 나타난 신노스케의 모습도.

"……나쁘지 않은 생각인지도 몰라."

"그래?"

그렇다. 나쁘지 않다.

왜냐면 아카네와 신노스케가 다시 사귀게 되면.

"언니가 나와 이곳에 계속 묶여 있는 것보다는 낫겠지."

조금 전 자신이 신노에게 말한 '지박령'이라는 단어를 떠올리면서 아오이는 입술을 깨물었다.

고개를 드니 기둥문 너머로 치치부의 산들이 눈에 들어왔다. 밤하늘 아래에 새까만 산이 벽처럼 우뚝 솟아 있다. 마치 이곳에서 나가려는 자를 조소하듯이.

"오오, 굉장한 인연이구먼!"

숯불구이 곱창 앞에서 니토베는 기분이 매우 좋은 상태였다. 그의 옆에 앉은 아카네가 깨끗하게 빈 니토베의 맥주잔에 맥주를 따랐다.

카나무로 신노스케는 그 모습을 곁눈질로 보았다.

"저도 놀랐지 뭡니까!"

아카네의 옆에 앉은 마사미치가 몸을 내밀며 말했다.

"지역 홍보송을 만든다면 꼭 니토베 선생님께 부탁하고 싶어서 이벤트 영상을 보았는데 그 백업 밴드에 소꿉친구가 있다니요!"

그리고 신노스케를 보고는 그의 어깨를 세차게 두드린다. "그치, 신노!" 하고 옛날처럼 허물없이 말을 걸었다.

"……아파."

신노스케는 어떻게 반응해야 할지 몰랐다. 지인 같기도 하면서 남 같기도 한, 묘한 거리감이 느껴지는 반응이었다.

그런 대화가 전부 들릴 텐데도 아카네는 숯불 위 철판에 묵묵히 곱창만 올리고 있었다.

"신노스케 군에겐 금의환향인 셈이구먼. 기타 솔로 부분을 넣어 줘야겠어!"

니토베의 말에 색소폰과 트럼펫, 트롬본 담당이 "부럽다!"라고 말했다. 니토베는 마음먹은 일은 무조건 하는 사람이었다.

축제 무대에서 기타 솔로를 연주하는 자신을 상상했다. '이 지역에서 내가 발굴한 천재요!' 라는 얼굴로 득의양양하게 마이크를 쥔 니토베와 관객석에서 그런 자신을 바라보는 지인들의 얼굴을 상상했다. 더는 생각하고 싶지 않아서 신노스케는 술잔을 기울였다. 하지만 끔찍한 상상은 떨쳐지지 않았다.

아카네와 마사미치가 무슨 말을 주고받았다. 그러자 술기운이 돌아 얼굴이 벌게진 니토베가 그 둘 사이에 불쑥 끼어들었다.

"호오? 혹시 두 사람 그런 관계인가?"

목에 건 펜던트가 괴이할 정도로 번쩍인다. 니토베가 씩 웃는다. 나이를 알 수 없는 이 사람은 항상 분위기를 파악할 줄 몰랐고, 파악하려고도 하지 않는다. 사람의 민감한 부분을 건드려 놓고 신나서 춤을 추는 남자다.

아카네는 놀란 얼굴로 "네?"라고 얼버무렸지만, 마사미치는 기뻐 보였다. "상상에 맡기겠습니다!"라고 해서 아카네를 더욱 곤란케 만들었다.

신노스케는 잔에 반쯤 남은 술을 단숨에 들이켰다. 점원이 가져온, 누가 주문했는지도 모를 술도 뺏어 마셨다. 조금 지나서 니토베가 "응? 내 맥주가 왜 안 오지?"라고 했지만 모른 척했다.

이상했다.

고등학교 시절의 여자 친구와 밴드 동료와 같은 테이블에서 술을 마시고 있다. 이 곱창구이집도 자신들이 다니던 고등학교와 역의 딱 중앙 지점에 있다. 가게의 풍취도 그 무렵과 전혀 변한 게 없었다.

하지만 자신들은 서른한 살이 되었다.

철판 위에서 익고 있는 곱창을 멍하니 바라보는데 세이부치치부역 앞 트럭 위에서 본 광경이 떠올랐다. 마사미치와, 마사미치와 판박이인 그의 아들. 아카네와 여동생 아오이.

상경하고 13년간, 그 시간의 가혹함은 몸에 사무칠 정도였는데, 네 사람을 본 순간 현실이 적나라하게 드러난 것 같았다.

눈앞의 철판 위에서 곱창 기름이 푸슉 소리를 내며 튀었다. 숯불에 기름이 떨어지자 기다란 주황빛 불길이 치솟았다.

——우리 언니 괴롭히지 마! 이 멍청아!

13년 전에 들었던 아오이의 목소리가 되살아났다.

그때 그 아이는 네 살이었다. 양손으로 신노스케를 퍽퍽 때리며 "우리 언니 데려가지 마!" 하고 울며불며 소리쳤다.

그때 어떻게 하는 게 맞았을까.

머리에서 도망쳐 나온 생각은 철판에서 피어오르는 연기처럼 가게 안을 헤맸다. 착지점을 찾지 못한 채 유유히 떠돌았다. 멀리서 니토베가 "지금 여기 있는 손님들 계산은 전부 우리가 하겠소이다!" 하고 너털웃음을 터트렸다. 온 가게 안에서 환성이 나왔다. 술값을 지불해야 하는 마사미치의 얼굴이 새파래지는 것이 보였다.

정신을 차렸을 땐 가게 앞에서 무릎에 손을 짚은 채 신음하고 있었다.

주위에서 목소리가 들렸다. "자, 2차 갑시다!"라고 하는 니토베, 안절부절못하며 다음 가게를 찾는 마사미치, 밴드 멤버들은 "야, 신노스케, 토할 거면 화장실 가서 해."라며 등을 문질러 주었다.

"어쩔 수 없죠. 전 술을 안 마셨으니 제 차에 태워드릴게요."

아카네의 목소리가 들렸다.

니토베가 밴드 멤버를 거느리며 의기양양하게 걸어갔다. 니토베에게 어깨를 붙잡힌 마사미치는 걱정스러운 눈빛으로 이쪽을 힐끗거리며 끌려갔다.

대체 뭘 걱정하는 건가. 무엇을 두려워하는 건가.

아카네의 차에서는 고다이고의 〈간다라〉가 흘러나왔다. 카스테레오와 이어진 아카네의 스마트폰을, 신노스케는 조수석에 앉아 멍하니 바라보았다.

시간이 토막토막 끊기는 것 같았다. 방금 차에 탄 것 같은데 이미 오늘 묵을 호텔 앞에 도착해 있었다.

"일어났어?"

핸들을 쥔 아카네가 물었다. 〈간다라〉가 선명하게 들리기 시작했다.

"나…… 그래도 꿈은 이뤘지?"

꿈은 개뿔.

속으로 스스로에게 욕을 퍼부었다.

하지만 아카네는 그것을 가볍게 넘겼다.

"그러게. 이뤘네."

쌀쌀맞지는 않았다. 하지만 그 말속에 아무 감정도 담겨 있지 않다는 것은 알 수 있었다.

잔인하다. 시간은 잔인하다.

"……비웃고 있지?"

"이렇게 술버릇이 고약한 사람이었구나, 신노는."

술에 취한 모습만이 아니다. 서른한 살이 된 자신을 통째로 거부당한 것 같은 느낌이었다. '이런 서른한 살이 되어 있을 줄은 몰랐네.' 라는 아카네의 목소리가 들리고 만다.

"너 독신이라며. 나 기다리고 있었던 거 아냐?"

그래서 그런 말을 내뱉고 말았다.

"음, 기다렸나? 아닌 것 같은데."

아카네의 말투는 여전했다. 차는 호텔 주차장으로 들어 갔다. 아카네는 입구에서 그리 멀지 않은 곳에 차를 세웠다. 어떻게든 혼자서 방까지 가려고 했는데, 차에서 내린 순간 비틀거리며 보닛에 양손을 짚었다. 기가 막혀 하는 웃음소리가 들리더니 아카네가 부축해 주었다.

그렇게 신노스케의 방까지 갔다. 몸 왼쪽에서 전해져 오는 아카네의 체온을 오랜만에 느꼈다. 마음이 차분해지는 따뜻한 느낌은 아니었다. 지금의 신노스케를 비난하는 듯한, 그런 느낌이었다.

"자, 도착했어."

아카네가 카드 키로 문을 열었다. 신노스케는 부축을 받으며 방에 들어갔다. 아카네가 문 옆의 카드 꽂이에 카드를 꽂자 간접 조명에 은은한 불이 들어왔다.

좁은 방이다. 세미더블 침대와 책상, 텔레비전만으로 방이 꽉 찼다. 게다가 신노스케의 짐이 아무렇게나 펼쳐져 있다. 오늘 아침에 집을 나올 때 입었던 옷은 널브러져 있었다. 처음부터 끝까지 못난 모습만 보인다.

"똑바로 걸어. 지금 마실 물 가져올 테니까……."

아카네는 신노스케의 몸을 침대 쪽으로 밀어내고, 방을 나가려고 했다. 승강기 옆에 있던 자판기에서 생수를 사 오려는 것이리라.

"더 마시자, 아카네."

신노스케는 화장실 문에 몸을 기댄 채 말했다. 자신의 목소리가 매우 멀게 들렸다. 자기 몸이 아닌 것 같은 이상한 감각이었다.

"멍청한 소리 하지 마."

아카네는 신노스케를 돌아보지도 않은 채 말하고, 문손잡이로 손을 뻗었다.

그 손을 잡았다. 아카네의 팔뚝이 움찔하고 떨었다.

조금 전 '상상에 맡기겠습니다!' 라고 떵떵거리던 마사미치의 얼굴이 떠오르자 괜스레 화가 치밀었다.

마사미치 때문만이 아니다. 이 모든 것이 다.

"아카네……."

반대편 손으로 아카네의 어깨를 잡았다. 생각보다 힘이 강하게 들어갔는지, 아카네의 옷이 심하게 구겨졌다.

아카네는 아무 말도 하지 않았다. 짜증 난 기색으로 콧방귀를 뀌더니 신노스케의 팔을 덥석 잡아 몸을 홱 비틀었다. 대단한 힘이 아니었는데도 신노스케의 몸이 어이없이 바닥에 나동그라졌다. 그녀의 팔을 잡았던 손바닥에, 바닥에 내던져진 등에, 차가운 통증이 일었다.

아카네가 아무 말 없이 이쪽을 내려다보았다.

"참나."

분해서인지 부끄러워서인지 한심해서인지 말이 멋대로 흘러나왔다.

"그 나이 먹고 아끼지 마."

최악이다, 라고 생각했다.

"진심으로 하는 소리야?"

"뭐 어때. 닳는 것도 아니고."

최악이다. 술 탓이라고 해도 최악이다.

"그게 13년 만에 재회한 사람한테 할 말이야?"

목덜미 주위에 냉랭한 한기가 느껴졌다. 아카네의 목소리는 그만큼 차가웠다. 칼끝에 심장이 깊이 찔린 기분이었다.

그 칼을 쥐고 있는 건 아카네가 아니다. 13년 전, 뮤지션을 꿈꾸며 이 마을을 떠난 열여덟 살의 카나무로 신노스케다.

"실망하게 하지 마."

아카네가 코에 간당간당하게 걸려 있던 안경을 밀어 올리며 말했다. 욕설을 퍼붓든 화를 내든 해 주면 좋았을 텐데 그녀는 덤덤하기 그지없었다. 그 말을 끝으로 호텔 방을 나갔다.

문이 닫힌다. 아카네의 기척이 멀어진다. 어스레한 방 안에 홀로 남은 신노스케는 그대로 벌러덩 쓰러졌다. 간접조명의 은은한 빛마저 눈이 부셔서 오른팔로 눈 위를 덮었다.

"나도, 오고 싶지 않았다고."

혼자 남은 방에 자신의 목소리만이 울린다.

그랬다. 오고 싶지 않았다.

고향에, 아카네가 있는 마을에, 찬란한 꿈을 그렸던 고등학생인 자신이 살았던 마을에, 이런 꼴로 오고 싶지 않았다.

제2장

1

"나 왔어~. 아오이!"

아카네가 집에 온 건 사당에서 돌아온 아오이가 목욕을 끝낸 직후였다. 거실 소파에 누워서 스마트폰을 갖고 놀고 있는데 피곤에 찌든 얼굴로 아카네가 돌아왔다.

"왔어? 일찍 왔네."

"마지막까지 접대하느라 혼났어~. 오늘은 안 씻고 이대로 잘래."

아오이는 손에 쥔 스마트폰을 내려다보았다. "흐음." 하고 맞장구를 치며 조금 전까지 봤던 '생령'에 관한 웹사이트를 스크롤했다. 생령이 나타나는 이유, 고전문학 속에 나오는 생령, 일본 전국에 전해 내려오는 생령의 전설……. 정보는 우후죽순 쏟아져 나왔지만 아무리 조사해도 신노가 사당에 있는 건 사실이다. 그가 사당을 나오지 못하는 것도, 서른한 살의 카나무로 신노스케가 마을에 나타난 것도.

"아오이, 오늘 같이 잘래?"

소파 등받이에 양쪽 팔꿈치를 괴고, 아카네가 이쪽으로 몸을 쑥 내밀었다. "에엥?" 하고 당황하는 아오이에게 아카네는 후훗 웃으며 고개를 끄덕였다.

"오랜만에 좋잖아."

농담인 줄 알았건만 옷을 갈아입고 얼굴을 씻고 온 아카네는 정말로 위패가 있는 방에 이부자리를 깔았다. 옛날부터 함께 잘 때면 위패가 있는 방에 이불을 까는 것이 습관이었다. 하지만 아카네와 함께 자는 것이 얼마 만이더라.

"언니."

잠자리에 눕고 한참 뒤에 아오이가 물었다.

"카나무로 신노스케에 대해 얘기해 줘."

아카네가 함께 자자고 한 건 분명 신노스케와 무슨 일이 있었기 때문이다. 왠지 모르게 그런 예감이 들었다. 오늘 하루 있었던 온갖 일들이 새까만 천장에 떠올랐다 사라졌다. 밑도 끝도 없이 정신없는 하루였다.

"음~…… 그냥 술주정뱅이?"

별 감흥이 느껴지지 않는 말투에 아, 역시 뭔 일이 있었군, 하고 아오이는 확신했다.

"지금 말고 옛날에."

"그렇게 옛날 일은 다 잊었지. 언니 기억력 나쁘잖아."

거짓말이다. 분명 거짓말이다. 세이부치치부역에 니토베

와 신노스케가 나타났을 때 아카네의 얼굴을 떠올리며 아오이는 눈을 내리떴다.

"그치만…… 언니, 그 이후로 계속 남자 친구 없잖아."

"나름…… 꽤 있었는데?"

"뭐?"

천장을 노려보던 아오이는 아카네의 발언을 되새겼다. 그대로 벌떡 일어나 "거짓말!" 하고 소리쳤다.

"그런 티 안 냈잖아! 왜 말 안 했어!?"

침이 튀었다. 아카네에게 신노 외에 다른 남자 친구가 있었다니, 아오이의 기억엔 전혀 없는 일이다. 그런 분위기를 풍기는 사람조차 없었다.

왜냐하면 아카네는 신노와 헤어진 이후로 쭉, 그럴 경황이 없었으니까.

"왜 그래~. 아오이는 정말 언니를 너무 사랑하는구나?"

아카네의 즐거운 듯한 웃음소리가 방 안에 울렸다. 이불을 들썩이며 장난스럽게 아오이를 올려다본다.

"아니야!"

언제, 대체 언제 있었는데, 그 '나름'이란 사람이! 그렇게 캐물었지만, 당황한 아오이를 보며 웃기만 할 뿐 아카네는 그 이상 말해 주지 않았다.

"에잇, 몰라."

어린애처럼 몸을 홱 돌린 아오이는 이불을 푹 덮어썼다.

2

아카네가 만들어 준 아오이의 도시락을 신노가 먹고 있다. 달걀말이, 방울토마토, 브로콜리, 감자 샐러드, 가늘게 썬 양배추, 멘치카츠, 깨소금을 뿌린 밥. 익숙한 라인업이었다. 이상한 느낌이다. 도시락을 만든 사람은 서른한 살의 아카네고, 그것을 먹는 사람은 열여덟 살의 신노니까.

신노는 그것을 "짱 맛있다!"라며 연달아 입에 집어넣었다. 아카네가 만든 것이라서 더 맛있게 느껴지는 것인지도 모른다.

"근데 정말 이래도 돼? 네 점심이잖아."

"나중에 편의점 들러야지."

"그래? 그럼 사양 않고 먹는다."

달걀말이를 입안에 가득 넣고는 또 "짱 맛있어!"라며 웃었다. 아카네가 만든 달걀말이는 우유와 설탕을 넣어 맛이 달다. 부드러운 크림색 달걀말이를 먹는 신노의 옆모습을, 아오이는 빤히 바라보았다.

"응?"

아오이의 시선을 느낀 신노가 고개를 갸웃거렸다. 아오이는 서둘러 도리질했다.

"아냐. 배가 고프기도 하는구나 싶어서."

"고픈 건 아닌데, 잘 들어가네. 어쨌거나 심심해서 미치는 줄 알았어."

"그래?"

아오이는 사당 구석으로 시선을 옮겼다. 아웃도어 의자 위에 신노의 기타가 놓여 있었다.

"기타 있잖아. 심심하면 치고 놀면 될 텐데."

"줄, 녹슬었어."

그랬다. 케이스에 들어 있었지만 13년이나 사당에 방치되었던 기타다. 줄은 녹슬었고, 수리하지 않으면 치지는 못하리라.

"그럼 사 올까? 니켈이면 되지?"

"아, 아니……."

신노는 어색하게 아오이의 말을 잘랐다.

"그냥 됐다."

새끼손가락 끝으로 볼을 긁으며 살짝 고개를 저었다.

웃음으로 곤란한 표정을 감추려고 하는 것처럼 보이는 건 왜일까?

"그것보다 점프 사 와 줄래? 『여기는 잘나가는 파출소』를 안 보면 도무지 힘이 안 나서 말이야."

"그거, 끝났는데?"

아무 생각 없이 내뱉은 아오이의 말에 신노의 눈이 휘둥그레졌다. "아……." 하고 아오이가 목소리를 낸 순간, 신노의 얼굴 전체가 파르르 떨렸다.

"뭐시라아아!?『여기는 잘나가는 파출소』가 끝날 리가 없잖아! 료 씨가 없으면 불멸이 아니잖아!?"

"나야 모르지."

"말도 안 돼. 그럼 료 씨는 누구랑 이어져? 아니지, 안 물어볼래. 내 눈으로 직접 확인해야지…… 초밥집…… 아니, 마리아……."

혼자 중얼중얼하는 신노를 아오이는 멀뚱히 바라보았다. 어제부터 계속 그랬지만 정말 긴장감이 하나도 없었다.

갑자기 생령이 되어 13년 후로 날아온 상황에서 궁금한 것이 만화의 결말이라니. 그 개그맨, 그 가수, 그 아이돌도 은퇴했고, 이런 사건과 이런 재해도 있었다고 하면 신노는 어떤 반응을 보일까.

아오이는 가방과 베이스를 어깨에 메고 자리에서 일어났다. 교복 치마를 털고, 기둥문을 향해 이른 아침의 숲속을 걸었다.

흘끔 뒤를 돌아봤다. 활짝 열린 사당 문에서 도시락을 먹는 신노의 모습이 보였다. 아무도 없는데도 즐겁게, 신나게 입을 움직이며 웃고 있다.

13년 전으로 돌아간 것 같았다. 아, 하지만 신노의 옆엔 아카네도 없고, 사당에는 마사미치도, 반바와 아보도 없다.

그뿐일까. '헤이세이(1989~2019년)' 시대도 이미 끝났어. 지금은 '레이와' 시대라고 해. 그렇게 말하면 신노는 과연 믿을까?

학교 도서실에는 역대 졸업 앨범이 보관되어 있다. 물론 아카네와 신노, 마사미치가 고등학생일 때인 13년 전 졸업 앨범도 있었다.

"헐, 이게 츠구가 아니라 마사미치라고!?"

반별 사진 페이지에서 웃는 데 실패해서 어색한 표정을 짓는 마사미치를 발견했다. 무서울 정도로 마사츠구와 똑같았다. 붕어빵이다.

"옛날엔 이렇게 생겼었구나. 신노가 미니어처라고 부를 만하네……."

책장을 넘겼다. 교복을 입고 웃고 있는 아카네의 사진을 바로 발견했다. 같은 페이지에 신노의 사진도 있었다.

"같은 반이었구나."

체육제와 문화제, 구기대회, 수학여행 사진도 있었다. 신이 난 신노가 아카네와 마사미치의 어깨를 끌어안은 사진이 몇 개나 이어져 있다.

하지만 졸업 직전에 찍은 사진의 신노는 어딘가 표정이 어두워 보였다. 미묘하게 거리를 둔 아카네도 우울한 얼굴이다. 언제까지 두 사람이 사귀었고 언제쯤에 헤어졌는지 사진만 봐도 바로 알 수 있었다.

계속해서 페이지를 넘겨 앨범 후반부에 반별 롤링 페이퍼가 나왔다. 각자 '좋아하는 말'이라는 주제로 메시지를 써 놓은 것이었다.

【세계 정복!】

신노는 그렇게 써놓았다. 유치해, 하고 놀리면서 아오이 는 아카네의 메시지를 찾았다.

금방 발견했다. 아카네답게 정성을 들여 쓴 귀여운 글씨 체였다.

【우물 안 개구리는 바다 넓은 줄 모른다.】

고향을 떠나 도쿄로 가겠다. 벽에 막힌 분지를 떠나 넓은 세계로 나가고 싶다. 그렇게 말한 아오이에게 아카네는 '중 2 서정시!'라며 웃었지만, 고등학생인 그녀 역시 비슷한 생 각을 졸업 앨범에 써 놓았다.

하지만 아카네의 메시지에는 뒷말이 더 있었다.

【그러나 하늘의 푸르름을 안다.】

아카네의 글자를 살짝 손가락을 훑었다. "하늘의 푸르 름……." 하고 조그맣게 읊었다.

대체 아카네는 무슨 생각으로 이런 말을 썼을까.

곰곰이 생각해 봤지만, 아오이는 그냥 졸업 앨범을 덮었 다. 사서에게 앨범을 반납하고 도서실을 나왔다. 곧 아카네 가 데리러 올 시간이다. 본인에게 직접 물어볼 수 있을까?

현관 앞에서 신발을 갈아 신으며 그런 생각을 할 때 "아 오이!" 하고 누군가 이름을 불렀다. 뒤돌아보니 남학생 두 사람이 이쪽으로 다가왔다.

순간 누구더라, 라고 생각한 아오이는 "아……." 하고 납득했다. 같은 반이다. 자기들 밴드에 베이스로 들어와 달라는 제안을 지난주에 받았었다. 분명 그때 그 자리에서 거절했는데.

"다시 한번 생각해 주지 않을래? 우리 밴드에 들어와 주면……."

"나보다 못하는 애들과 해 봤자 시간 낭비야."

아오이는 그들의 말을 끊고, 신발을 신었다. 지난주에는 좀 더 부드럽게 돌려서 거절했었는데 전해지지 않은 모양이다. 한 사람이 "뭐? 이 못생긴 게!"라고 했지만 아오이는 신경 쓰지도 않고 현관을 나갔다.

"아깝다~."

바로 옆에서 튀어나온 목소리에 아오이는 발을 딱 멈췄다.

현관 앞 계단에 앉아 있는 사람은 같은 반인 오타키 치카였다. 진로 면담 때 '전 시집갈 거예요~!'라고 선언하던 그녀의 녹은 아이스크림 같은 목소리를 문득 떠올렸다.

"뭐?"

"남자만 있는 밴드에 홍일점이 될 수 있는 기회인데."

치카가 밝은색 머리카락을 손가락으로 배배 꼬면서 아오이를 보았다.

"아, 아니면 그쪽에 여유 있는 척하는 건가~."

그냥 무시하자. 바로 그렇게 판단한 아오이는 걷기 시작했다.

그런데 벌떡 일어난 치카가 귀찮게 졸졸 따라왔다.

"도쿄에 가겠다는 것도 연상남이 있으니까 그런 거지?"

그런 말을 아오이의 귓가에다 말한다. 참지 못하고 "헐……." 하고 소리를 내고 말았다. 그랬구나, 그렇게 보였구나.

"소문이 자자해~. 항상 남자가 차로 데려다주고 한다고. 어때, 남자 친구의 친구 소개해 줄래? 문제 일으켜도 고소는 안 할게~."

문제라니 뭐야. 문제가 일어난 적이 과거에 있었냐. 무심코 그렇게 물을 뻔한 아오이는 입을 닫았다.

정말로 녹은 아이스크림 같은 녀석이다. 이쪽을 살피는 듯한 시선도, 달달한 목소리도 전부 끈적끈적하다.

남자 친구가 아니라 언니가 데리러 오는 거다. 그렇게 말한다고 이 녀석이 믿어 줄까. 큰 한숨을 내쉬고, 아오이는 치카를 돌아보았다.

"그럼 지금 갈래?"

꼭 '연상의 남자 친구를 만나게 해 주겠다' 라는 투로 말했다. 순간 얼이 빠진 치카는 금방 눈동자를 반짝였다. "꺅!" 하고 머리에서 음표가 튀어나올 법한 환성을 지르며 껑충 뛰어 아오이의 뒤에 바짝 붙었다.

"네 남자 친구는 역시 직장인? 친구 중에 학생 없어? 사회인도 괜찮긴 한데, 남자 친구가 다니는 대학에 학식 먹으러 한번 가 보고 싶다~."

아니라고 하는데도 왜 말이 통하지 않을까. 듣기 싫은 말은 흘려 넘기고 자기가 원하는 말에만 웃으며 전력으로 받아친다.

아, 그래. 마사미치와 닮았다. 이 과하게 낙천적인 느낌이.

정문을 나온 타이밍에 아카네의 짐니가 이쪽을 향해 오는 것이 보였다. 아오이가 살짝 손을 흔들자 신이 난 치카가 차도로 몸을 쑥 내밀었다.

"왔어!?"

짐니의 운전석에 앉은 아카네를 발견한 치카의 표정이 노골적으로 어두워졌다.

"어머~ 친구야? 안녕~."

그런 사정은 꿈에도 모르고 아카네는 운전석 창문을 열어 치카에게 인사했다. 치카는 "아, 안녕하세요~⋯⋯."라고 대답하며 아오이를 보았다. '얘기가 다르잖아'라는 얼굴이다. 대놓고 외면해 줬다.

그때 아카네의 스마트폰이 울렸다. 전화였는지 아카네는 "네~." 하고 스마트폰을 귀에 갖다 댔다. 치카는 여전히 아오이를 째려보고 있었다.

"거짓말 아니지?"

그렇게 말하자, 치카는 "으으으⋯⋯." 하고 입술을 삐죽였다.

"네에!?"

갑작스러운 아카네의 고함에 아오이와 치카는 동시에 어깨를 움찔했다.

"사슴한테 당했다고요!?"

드물게 큰 소리를 지른 아카네의 모습에 아오이는 자연히 치카와 얼굴을 마주 보았다.

"사슴!?"

목소리까지 완벽하게 겹쳤다.

3

"네, 베이스 담당 이토 씨와 드럼 담당 코다마 씨가 식중독에 걸려서요."

시민 병원의 한 병실에서 니토베의 매니저라고 하는 남성이 아카네와 마사미치에게 머리를 조아리고 있다. 그대로 어이없는 얼굴을 돌려서 침대에 누워 있는 이토와 코다마라는 밴드 멤버를 쳐다보았다.

팔에 링거 관을 꽂고 있는 둘은 "엄청 맛있었어⋯⋯.", "후회는 없다⋯⋯."라는 말만 반복했다. 괴로워 보이면서도 어딘가 만족스러운 듯했다.

"제발 후회하세요! 바싹 익혀 먹으라고 했다면서요!"

매니저가 두 사람을 큰소리로 꾸짖었다. 병원인데도 옆에 있는 간호사 역시 매니저를 말릴 기색도 없이 오히려 이토와 코다마를 한심하게 바라보고 있었다.

사건의 전말은 병원까지 오는 차 안에서 아카네가 알려주었다.

어제 이 지역에 온 니토베 단키치와 밴드 멤버들은 오늘 하루 시내의 관광지를 돌면서 인기 특산 음식을 먹었다고 한다. 그렇게 하지 않으면 그 지역의 홍보송을 만들 수 없다고 니토베가 주장한 결과다. 심지어 들어간 가게의 모든 메뉴를 제패해야지만 가게 주인의 마음가짐을 느낄 수 있다고 한다. '그거, 갈취 아냐?'라고 생각했지만, 이야기가 옆길로 샐까 봐 굳이 꺼내지 않았다.

나가토로(長瀞) 급류 타기, 천연수로 만든 빙수, 돼지고기 된장 덮밥, 호두 메밀국수…… 그리고 사슴 고기. 시청의 예산으로 신나게 먹고 다니다가 보기 좋게 식중독에 걸린 것이다.

"우와, 록이네~! 진짜 뮤지션 같아!"

아오이의 옆에 있던 치카가 마구 흥분하며 두 사람을 보았다. 왜 이 녀석이 병원까지 따라온 거지, 하고 그제야 깨달았다. 정신을 차렸을 땐 이미 "헐, 뮤지션? 그 사람들 멋있어?" 하고 흥분하며 아카네의 차 뒷좌석에 올라타 있었던 것이었다.

"어쨌거나 염증이 나을 때까지 일주일간 단식이에요."

간호사의 한마디에 아오이와 치카를 제외한 모두가 "네에!?" 하고 소리를 질렀다. 아카네는 "아이고." 하고 천장을 올려다보았고, 마사미치는 머리를 싸맸다.

"라이브는 어렵겠네요. 그래도 일단 음원은 있으니 최악의 경우 녹음으로 가죠."

마사미치가 매니저에게 그렇게 제안했다. 매니저도 '방법이 없다'라는 얼굴로 고개를 끄덕일 때 아오이의 뒤에 있던 문이 쾅 하고 열렸다.

"거절하겠네."

엔카를 부르는 듯이 가락을 넣으며 니토베가 유유히 병실로 들어왔다.

"소리는 살아 있는 것일세. 생명이야. 라이브가 아니면 엔카의 마음을 어찌 노래하겠나. 이 니토베 단키치. 노래방 반주로 노래하는 것만은 단호히 거절하겠네!"

마사미치의 앞으로 다가와서 '여기가 네 무대냐'라고 반문하고 싶어질 정도로 과장된 손짓과 발짓으로 그렇게 선언했다. 분명 지금 니토베의 머릿속에는 머리 위로 스포트라이트가 쏟아지고, 객석에서 박수와 환성이 울리고 있으리라.

"하, 하지만 이제 와서 새로운 사람을 찾기에는……."

매니저가 말했다. 옆얼굴에서 '이 아저씨 또 시작이네!'

라는 비명이 들려왔다. 마사미치도 크게 수긍하며 이에 동의했다. 그러나 니토베는 물러서지 않았다. "거부하네!"라는 말만 호들갑스럽게 반복했다.

그런 세 사람의 실랑이를 묵묵히 지켜보던 아카네가 문득 뭔가를 떠올린 듯 턱에 손을 댔다. 어째서인지 문 근처에 있는 아오이를 본다.

"부족한 건 드러머와 베이시스트죠?"

아카네의 중얼거림에 마사미치가 "응, 그렇긴 한데."라고 대답했다. 그러자 갑자기 아카네가 환하게 웃으며 짝! 하고 손뼉을 쳤다.

"드러머와 베이시스트라면 여기 있잖아요!"

아카네가 마사미치를 응시했다. 그리고 또다시 아오이를.

"뭐?"

아오이는 저도 모르게 고개를 갸웃했다.

'음악의 도시 페스티벌'의 행사장으로 쓸 치치부 뮤즈 파크는 리허설 준비가 한창이었다.

뮤즈 파크는 산 정상에 세워진 큰 공원으로, 음악당부터 야외 스테이지, 테니스 코트, 풀장 등의 시설도 완비되어 있다. 음악당 안에 있는 리허설용의 소형 홀에서 스태프들이 분주하게 움직인다.

사슴 고기를 잘못 먹은 드럼과 베이스 담당을 대신해서

마사미치와 아오이가 연주한다.

현관홀에서 그 말을 전해 들은 밴드 멤버들의 얼굴이 일제히 어두워졌다. 갑자기 나타난 아오이와 관광과 직원인 마사미치를 수상쩍은 눈으로 보았다.

"뭐~!? 농담이지?"

누구보다 먼저 신노스케가 그렇게 설명한 매니저를 날카롭게 쏘아보았다. 그 뒤를 이어 트럼펫과 키보드 담당이 "여고생과 시청 직원이 대역이라니.", "재밌겠네."라며 실랑이를 벌였다.

"그래도 이건 아니죠."

신노스케는 여전히 험악한 얼굴이었다.

"하지만 니토베 씨가 적극적이셔. 지금도 본인이 직접 시청에 설명하러 가셨다니까."

매니저의 말에 마사미치가 머리를 싸맸다. 쥐어짜 내는 목소리로 "어째서 이런 일이……." 하고 중얼거리는 것이 들렸다.

짜증이 잔뜩 난 듯한 신노스케의 모습에 어째서인지 치카가 뺨을 붉게 물들였다. 눈이 반짝거린다. 눈동자 속에 하트가 보였다. 제발 부탁이니까 참아 달라고 아오이까지 머리를 싸매고 싶어졌다. 대체…… 대체 왜 이 녀석은 홀까지 따라온 거야.

"우리까지 '애들 장난'으로 취급당하기 싫어요."

한층 더 차가워진 신노스케의 목소리에 현관홀의 공기가 얼어붙었다. 아오이의 귀에는 쩌적, 하고 유리에 금이 가는 소리까지 들렸다.

그 소리의 출처는 자신의 가슴속이었다.

"이쪽은 프로란 말입니다."

한 마디마다 힘주어 말했다. 덤덤한 어투인데도 '프로'라는 단어에 강한 중력을 느꼈다. 아오이는 아무도 모르게 주먹을 꽉 쥐었다.

"……눈알 스타라며."

넌 눈알 스타다, 라고 말한 사람은 고등학생이던 이 사람이었는데.

"뭐?"

가시 돋친 신노스케의 목소리. 지루한 듯한 눈으로 신노스케가 아오이를 보았다.

그 안구에는 아오이와 똑같은 검은 점, 눈알 스타의 증표가 확실히 있다.

하지만 신노스케는 그런 것을 기억조차 하고 있지 않았다. 어쩌면 자신에게 눈알 스타가 있다는 것조차 완전히 잊었는지도 모른다. 이쪽은, 나는 그 말을 계속 기억하고 있었는데.

충격보다 분노가 더 강했다. 아오이는 다시 한번 주먹을 꽉 쥐었다. 어금니를 빠득 갈았다.

"애들 장난인지 아닌지 보면 알겠지."

자신의 말이 입안을 뜨겁게 했다. 내뱉은 말은 더 뜨거웠다.

마사미치가 "아오이……." 하고 아오이를 말리려고 이쪽을 보았다. 하지만 마사미치의 목소리보다 훨씬 커다란 목소리가 현관홀에서 울렸다.

"굿 아이디어! 꼭 보여 주시오!"

리허설용인 걸까. 운동복을 입은 니토베가 당당하게 들어왔다. 어떤 길이든 자기가 걸으면 꽃길이라는 양 사푼사푼 걸어와 아오이 무리 앞에 섰다.

그 뒤를 아카네가 따라왔다. 신노스케가 아카네에게서 고개를 홱 돌리는 것을 아오이는 똑똑히 보았다.

아오이는 니토베를 따라 리허설 준비가 한창인 홀로 들어갔다. 아카네와 마사미치, 신노스케와 밴드 멤버들이 그 뒤를 졸졸 따라왔다.

비록 리허설에 사용하는 소형 홀이지만 매우 훌륭한 공연장이었다. 천장에서 내리쬐는 주황빛 조명이, 작지만 무대 위에 올라 베이스를 조율하는 아오이의 손을 비췄다.

신노스케는 아오이의 정면에서 뒷짐을 지고 있었다. 해볼 테면 해 보라는 얼굴로 아오이를 쏘아보았다. 그 뒤에서 신기한 듯 두리번거리는 치카가 매우 눈에 거슬렸다.

"마사미치."

아오이의 뒤에는 드럼 세트가 있다. 마사미치는 그곳에 앉아서 "하아……." 하고 어깨를 떨구었다.

"내가 왜 이걸……."

그렇게 말하면서도 자포자기했는지 정장 재킷을 벗고 넥타이를 느슨하게 풀었다. 와이셔츠의 소매를 걷고는 스틱을 손에 쥐었다. 13년 전에 밴드의 드럼을 맡았던 무렵의 그가 아주 잠깐 고개를 내밀었다.

신노스케는 그때까지도 화가 난 얼굴로 아오이를 노려보고 있었다.

그런 그를, 그의 눈동자에 있는 눈알 스타의 증표를, 아오이는 날카롭게 노려보았다.

깊이 숨을 들이마시고, 손가락 사이에 끼운 피크로 현을 퉁겼다. 하나, 둘, 셋, 소리가 이어지고, 베이스가 음악을 연주하기 시작했다.

등 뒤에서 마사미치가 스네어 드럼으로 리듬을 타는 소리가 들려왔다. 그렇다. 특별히 연습하지 않아도, 의논하지 않아도, 마사미치는 아오이에게 맞출 수 있었다.

왜냐면 아오이가 고른 곡은 〈간다라〉니까.

눈앞에 세워진 마이크를 향해 아오이는 아랫배에서부터 숨을 내뱉었다.

그곳에 가면

어떠한 꿈도 이루어진단다
모두가 가고 싶어 하지만 머나먼 세계
그 나라의 이름은 간다라
어딘가에 있을 유토피아
어떻게 갈 수 있을까
가르쳐 주오

노랫소리는 일직선으로 신노스케에게 날아갔다. 그의 표
정은 바뀌지 않았다. 하지만 아오이의 목소리는 홀 전체에
퍼져 나갔다. 은은한 주황색 조명과 베이스의 낮은음이 섞
여 마사미치의 드럼 소리에 춤춘다. 울린다. 메아리쳐 돌아
온 소리가 눈처럼 떨어져 홀에 쌓여간다.

백업 밴드 멤버들이 구석에서 뭔가 상의하고 있다. 아오
이에겐 들리지 않지만 표정은 밝았다.

치카가 "우와, 멋있어!!" 하고 째진 목소리로 소리쳤다.
그 옆에서 신노스케는 여전히 인상을 찌푸린 채다.

뭐야.

노래를 부르면서 아오이는 속으로 욕설을 퍼부었다. 왜
〈간다라〉를 그런 표정으로 듣는 거야.

왜, 왜?

이 노래는 당신이, 우리가 불렀던 노래잖아.

In Gandhara Gandhara

They say it was in India

Gandhara Gandhara

사랑의 나라 간다라

콧대를 꺾어 주려고 여기에 섰는데. 신노스케에게 전부 기억나게 해 주려고, 후회하게 해 주려고 했는데.

노래가 끝난 순간 홀 천장에서, 아니, 그보다 훨씬 더 높은 곳에서 얼음장처럼 차갑고 따끔한 것이 떨어져 내렸다. 가슴 안쪽이 욱신거려서 아오이는 잔향이 끝나기도 전에 줄에서 손을 뗐다.

"훌륭해!"

연주를 끝낸 아오이와 마사미치에게 니토베가 활짝 웃으며 말했다. 곰 같은 손을 두드리며 손뼉까지 친다. 그 옆에서 아카네가 기쁜 얼굴로 이쪽을 보고 있었다.

"연주에 '사랑'이 느껴지는군! 이번 행사의 핵심이 되겠어!"

드럼 의자에 앉은 마사미치가 "휴……." 하고 숨을 푹 내쉬었다. 고등학생일 때 질리도록 연주했던 곡이지만, 오랜만에 쳐서인지 매우 지친 얼굴이다.

아오이는 땀에 젖은 손바닥과 뜨거운 피크를 내려다보았다. 가쁜 숨을 몰아쉬며 신노스케를 보았다.

우거지상이던 신노스케는 혀를 차며 뿌리치듯 고개를 획

돌렸다. 가슴속에 계속 자리 잡고 있던, 고등학생이던 그의 미소에 시꺼먼 물이 툭 떨어졌다. 얼룩은 점점 커진다. 웃기지 말라 그래. 아오이는 목구멍 아래로 중얼거렸다.

4

"쥑인다, 아오! 그 나이에 프로 백업 밴드와 같이 공연한다니!"

사정을 설명하자 신노는 흥분하며 아오이에게로 몸을 불쑥 내밀었다. 사당에는 불이 켜져 있지만 주변은 이미 해가 떨어진 지 오래다. 오늘 밤은 곤충 울음소리조차 없다.

조용해서인지 신노의 칭찬과 '아오'라는 그리운 애칭이 이상하게도 귓가에 맴돌았다.

"어쩌다 보니 그렇게 됐어."

전용 클리닝 천으로 베이스 줄을 닦으면서 아오이는 최대한 냉담하게 대답했다. 멋쩍음을 감추기 위해서였다.

그리고 신노의 얼굴을 보고 있으면 신노스케의 얼굴까지 덩달아 떠올리고 마니까.

"잘됐네. 아오 누나가 본체 가까이에 있으면 아카네 누나가 본체를 만날 기회도 늘어날 거 아냐."

이로리에 앉은 마사츠구가 스마트폰 게임을 하면서 말했다. 신노는 그것을 흥미진진하게 들여다보았다. 하긴 13년 전에는 아직 스마트폰도 없었지.

"그럼. 둘을 이어 줄 찬스가 찾아온 셈이로군."

"그런데 정말 할 수 있을까?"

아오이는 깨끗하게 닦은 베이스를 자기 무릎 위에 뉘었다. 오늘 함께 싸워 준 베이스를 빤히 바라보았다.

"프로랑 하는 거……."

도쿄에서 밴드로 천하를 제패하겠다. 선생님한테 그렇게 떵떵거린 주제에. 거대한 불안을 앞에 두자 약한 자신이 고개를 내민다. 자기가 이 마을을 나가는 것에만, 아카네의 곁을 떠나는 것에만 정신이 팔려 있었음을 깨달았다. 자신감도 없으면서 그저 아카네를 자기에게서 해방시켜 주기 위해 지금 있는 곳에서 도망치려고 하고 있다.

"할 수 있어."

신노의 목소리에 아오이는 고개를 치켜들었다. 껌껌한 소용돌이 속에 빨려들어 가던 생각이 공기가 충만한 곳으로 슥 끌려 올라간다.

"넌 나와 같은 눈알 스타니까."

자신의 왼쪽 눈을 가리키며 신노가 웃었다.

믿을 수가 없다. 이런 신노가 13년 뒤에 그렇게 변해 버리다니. 말라 죽은 풀떼기 같은 눈으로 아오이를 노려보다니.

사당을 맴도는 생령인 신노는 그때처럼 아오이를 '눈알 스타' 라고 불러 준다. '할 수 있다' 고 말해 준다.

서른한 살의 신노스케가 만든 시꺼먼 얼룩을 손바닥으로 깨끗하게 닦아 준다.

　"응차, 자, 연습하자! 악보 받아왔지?"

　아오이는 자신의 입 끝이 올라가 있다는 사실을 깨달았다. 마사츠구가 이쪽을 보고 미심쩍은 표정을 지었다. 아오이는 허둥지둥 가방에서 악보를 꺼냈다.

　그때였다.

　"아오이~ 거기 있어~?"

　아카네의 목소리가 바깥에서 들려왔다. 사당 바로 앞에서였다.

　문 너머에 아카네가 있다.

　아오이는 황급히 베이스를 놓고 일어났다. 마사츠구도 당황하며 주변을 둘러본다. 신노만 문 쪽을 멍하니 바라보고 있었다.

　멍청하게 서 있지 말고 얼른 숨어! 아오이가 그렇게 말하려고 한 그때 사당 문이 열리며 아카네가 들어왔다.

　"응?"

　편의점 봉지를 팔에 낀 아카네가 고개를 갸웃거렸다.

　"둘이서 뭐 해? 이상한 자세로."

　어색하기 짝이 없는 자세로 굳어 버린 아오이와 마사츠구를 보며 아카네가 웃었다. 뒤돌아보니 신노의 모습이 없었다. 마사츠구와 함께 실내를 두리번거렸다. 어디에도 그는 없었다.

"그, 그냥…… 어, 언니야말로 왜 왔어?"

아카네는 순간 곤란한 듯한, 미안한 듯한 얼굴로 볼을 긁적였다.

"아, 저기, 미안해. 오늘 무리한 일을 시켜서."

"뭐?"

"그게, 큰 무대에 선 너를 상상하다가 나도 모르게."

아오이와 마사미치가 백업 밴드에 들어가면 되지 않느냐고 제안한 아카네는 대체 무슨 의도였을까. 계속 생각했었다. 그것도 니토베 단키치의 백업 밴드다. 게다가 그 안엔 신노스케도 있는데.

참나…… 그런, 그런 딸 바보 같은 이유 때문이었구나.

"아냐, 됐어. 생각해 보니 재미있을 것 같기도 하고."

아오이는 아카네에게서 시선을 돌리며 말했다. "그렇구나." 하고 아카네는 안심한 듯 웃었다.

"아, 이거 과자야. 츠구도 같이 먹으렴."

과자로 꽉 채운 비닐봉지를 아오이에게 넘기고, "너무 늦게까지 하진 마."라며 아카네는 사당을 나갔다.

멀어져 가는 뒷모습은 어째서인지 발걸음이 가벼워 보였다. 아카네도 나름 오후의 일을 마음에 두고 있었구나, 라고 생각했다.

"다행히 잘 넘겼네."

아오이에게서 과자 봉지를 넘겨받은 마사츠구가 안에서 스낵 봉지를 꺼내어 뜯는다.

"……응."

그나저나 신노는 대체 어디로 사라진 거지. 주위를 두리번거리며 둘러보자, 바스락 소리를 내며 신노가 천장에서 내려왔다.

아오이는 "꺄아악!" 하고 비명을 질렀다. 그러나 천장 대들보에 다리를 걸어 대롱대롱 매달린 신노는 아오이는 뒷전으로 두고 사당 문을 뚫어져라 쳐다봤다.

"아줌마가 되어 버렸어……."

뒤통수에 깍지를 낀 신노는 기뻐 보였다. 미래의 아카네를 보게 되어 기쁜 것이리라, 분명.

"그야."

신노에게는 며칠 전의 일이겠지만 현실에서는 13년이나 흘렀으니까. 그렇게 말하려는데 신노가 코를 크게 훌쩍였다.

"엄청나게 귀여운 아줌마다."

훌쩍, 훌쩍 하고 계속해서 콧물을 들이마신다. 대롱대롱 매달린 채 신노는 자신의 눈을 손바닥으로 비볐다.

"모델이나 연예인보다 귀엽고 예쁜 아줌마야."

아줌마, 아줌마 연발하면서도 신노의 눈빛은 부드러웠다. 젖은 눈동자로 조금 전까지 아카네가 있던 곳을 바라보았다.

아오이는 그 얼굴을 보고 있을 수 없었다. 보고 있으면 자신까지 부끄러워질 정도로 사랑스러운 것을 보는 눈빛이었다.

"형아, 괜찮아?"

마사츠구가 의아한 표정을 지었다.

"뭐가, 응차!"

대들보에서 힘차게 뛰어내린 신노의 눈에는 더는 눈물이 없었다. 오히려 다른 무언가가 깃든 것처럼 강렬하게 빛났다.

"나보다 아카네가 훨씬 힘들었겠지."

결의다. 이건 결의가 깃든 눈이다.

"나한텐 어제오늘 일이지만 아카네는 계속 혼자였어. 어서 아카네도 행복해졌으면 좋겠다."

자신의 가슴에 새기듯 신노가 말했다. 아오이는 참지 못하고 그의 이름을 입에 담았다.

"신노……."

혼자였다. 확실히 아카네는 혼자였다.

자신과 계속 함께 살았지만, 그것 때문에 아카네는 줄곧 혼자였다. 아카네 '나름'의 만남은 있었다고 했지만 결국 지금도 혼자인 건 분명 아오이 때문이다.

내가 아카네를 혼자로 만들었다.

"아, 그나저나 아저씨가 된 나도 기타 달인이 되어 있겠지?"

"그야, 뭐."

"진짜냐!?"

과자를 편의점 봉지에 다시 집어넣은 마사츠구가 주머니에서 스마트폰을 꺼냈다.

"찍어다 줄까? 영상."

이걸로, 하고 스마트폰을 들어 보이는 마사츠구에게 신노가 눈동자를 반짝거렸다.

"그런 것도 돼!? 미쳤다, 스마트폰. 아까 그 게임도 죽여주던데, 하룻밤만 빌려주라."

"절대 안 되네요."

쌀쌀맞게 고개를 저은 마사츠구는 스마트폰을 주머니에 집어넣었다. 대신 아오이가 교복 주머니에서 자기 스마트폰을 꺼냈다.

"그럼 내 거 빌려줄까?"

마사츠구가 깜짝 놀란 얼굴로 "헐!" 하고 내뱉었지만, 신노의 "그래도 돼!?"라는 큰 소리에 묻혔다.

"하루 정도는 괜찮아. 전화 올 사람이라곤 언니랑 츠구 정도고. 음, 비밀번호는……."

"누나, 개인 정보!"

마사츠구의 충고를 무시하고, 잠금을 푼 스마트폰을 신노에게 건넸다. 신노는 기뻐하며 아오이의 머리로 손을 뻗었다.

"땡큐, 아오! 너 정말 착한 애로 자랐구나!!"

투박하고 커다란 손바닥으로 아오이의 머리를 거칠게 쓰다듬는다.

"아잇! 함부로 머리 만지지 마!"

팔을 뿌리쳐도 신노는 웃음을 그치지 않았다. "으하하하하!" 하고 쉴 새 없이 호탕하게 웃었다.

"츠구, 동영상 진짜 찍을 거야?"

사당에서 집으로 돌아가는 길, 뒤따라 걷는 마사츠구를 뒤돌아보며 물었다. 나뭇가지와 뿌리를 피하며 어두운 오솔길을 걸어 기둥문으로 향했다.

"왜?"

마사츠구가 고개를 갸웃거렸다. 아오이는 한숨이 나오려는 것을 참았다. 그렇다. 마사츠구는 서른한 살의 신노스케가 어떤 인간인지 모른다.

"지금의 자신을 보면 신노가 실망할지도 몰라."

"그럴까?"

"당연하지! 신노는 멍청하긴 해도 착하고, 사람을 바보 취급하지도 않잖아!"

모든 것이 서른한 살의 신노스케와는 정반대다.

"그리고……!"

거기까지 말하다가 이쪽을 빤히 쳐다보는 마사츠구와 눈이 마주쳤다. 수상쩍은 듯 게슴츠레 쳐다보는 눈빛. 갑자기 뺨이 화끈거렸다.

다행이다. 돌아가는 길이 어두워서, 정말 다행이야.

"왜?"

난처해진 나머지 겨우 말을 짜내자 마사츠구는 어이없어 하며 어깨를 으쓱했다.

"그냥."

마사츠구는 작은 나뭇가지를 빠직 하고 밟으며 다시 걷기 시작했다. 아오이도 몇 걸음 뒤처져서 그를 따라갔다.

5

"그런데."

이쪽을 향해 스마트폰을 들이밀며 영상을 찍고 있는 치카 에게 일부러 차갑게 내뱉었다.

"넌 왜 여기 있냐?"

오늘도 뮤즈 파크 홀에서는 리허설이 열리고 있다. 한 손 에 베이스를 들고 홀에 와 봤더니 치카가 자신도 관계자인 양 현관홀 벤치에 앉아 있는 것이다.

학교를 나올 때 보이지 않기에 안심했건만 설마 먼저 와 있었을 줄이야.

"신노스케 씨 영상 찍을 거지? 나한테 맡겨, 영상 하난 잘 찍거든."

스마트폰을 움켜쥔 치카는 "그거 말고도 매니저처럼 잔 심부름 같은 것도 할 수 있어."라고 했다. 돌아갈 마음은 일절 없는 듯했다. 이렇게 속셈이 뻔히 보이니 오히려 속은 시원했다.

아오이는 치카의 옆 벤치에 앉아서 스마트폰 게임을 하고 있는 마사츠구를 쏘아보았다.

"내가 왔을 땐 벌써 와 있었어."

그래서 신노스케의 영상을 찍을 거라는 것을 마사츠구가 털어놨다, 이건가.

"소재가 많을수록 좋잖아?"

"너 쪼그만 게 나랑 잘 통한다!"

깔깔거리며 웃는 치카의 모습에 아오이와 마사츠구는 한숨을 쉬었다. 스태프가 다가와 "슬슬 리허설 시작하니까 세팅해 둬!" 하고 아오이에게 말을 걸었다.

──넌 나와 같은 눈알 스타니까.

아오이는 어젯밤 신노의 말을 떠올리며 "네." 하고 대답했다.

리허설은 오후 4시부터 소형 홀에서 시작되었다. 행사 당일의 세트 리스트에 맞게 한 곡씩 맞추었다.

치카와 마사츠구는 아오이를 찍는 척 신노스케의 모습을 스마트폰 카메라에 담았다.

"역시 신노스케 씨 너무 멋져!"

치카가 스마트폰을 든 채 째지는 소리를 질렀다. 신노스케는 표정을 바꾸지는 않았지만, 눈빛에 성가시게 여기는 듯한 기미가 보였다. 리허설에 친구나 데려오다니, 애들 장난도 아니고. 그렇게 비난하는 것처럼 느껴졌다.

"네, 수고하셨습니다~. 장비 체크할 동안 잠시 기다려 주세요~."

곡이 끝나자 스태프가 분주하게 돌아다닌다. 아오이는 베이스를 품에 안은 채 숨을 푹 내쉬었다. 곡은 어떻게든 겨우 따라갈 수 있었다. 마사미치도 무시무시한 표정으로 스틱을 내리쳤는데, 아오이도 마찬가지로 필사적이었다.

한 곡 한 곡 시작할 때마다 심장이 고동쳤다. 곡이 끝날 때마다 온몸의 산소가 빠져나갔다.

"뭐 하자는 거지?"

갑작스럽게 신노스케의 목소리가 날아왔다.

고개를 드니 신노스케가 자기 위치에서 꼼짝 않고 서서 이쪽을 흘겨보고 있었다.

"아오이. 장난치자는 거야?"

"어?"

"너 베이스잖아. 그런데 왜 네가 눈에 띄려고 해?"

다시 한번 "어?" 하고 소리를 낸 아오이는 옆에 있는 트럼펫과 트롬본 담당을 쳐다보았다. 두 사람 모두 어색하게 웃으며 아오이의 시선을 피했다.

신노스케의 말에 동의한다는 뜻이다.

"죄…… 죄송합니다."

아오이는 신노스케의 눈을 쳐다보지도 못하고 살짝 고개를 숙였다. 그 순간 부끄러움이 밀려와 고개를 숙인 채 굳어버렸다. 이곳에 놀러 온 건 아니다. 프로와 함께 연주하게 되었다고 들떠 있었던 것도, 자신의 기량을 프로에게 보여주려고 한 것도 아니었다.

그런데 그 모든 것이 맞물리는 듯한 느낌이 들었다.

"애초에 여자한텐 베이스가 안 맞아."

표독하게 내뱉는 신노스케의 목소리에 신노의 목소리가 겹쳐진다.

——그럼 좀 더 크면 아오이가 우리 밴드의 베이스다!

네 살인 아오이에게 고등학생의 신노가 말했다. 네가 한 말이잖아. 네가, 네가 나한테 그랬잖아. 입 밖으로 나오지 못한 목소리가 아오이의 가슴속에서 마구 날뛰었다.

"손도 그렇고 몸도 작으니까 리듬 유지도——."

신노스케는 아직도 악담을 퍼붓고 있었다. 신노와 똑같은 얼굴과 목소리로.

신노와 똑같은 눈알 스타의 증표를 가지고 아오이를 부정하는 말만 해댄다.

"너무 그러지 마! 우린 아마추어잖아."

마사미치가 대화에 끼어들었다. 드럼 의자에 앉아서 신노스케를 향해 스틱을 흔들었다.

"처음이기도 하니까 조금은……."

"아마추어가 프로의 세계에 발을 들이니까 문제 아냐!"

목구멍이 죄여서 숨이 막혔다. 아오이는 베이스의 넥을 꽉 쥐었다.

"그리고 마사미치. 네가 베이스에 끌려가니까 이렇게 무너지잖아. 드럼이 리듬을 유지해 주지 않으면 어쩌잔 거야……."

확실히 신노스케의 말대로인지도 모른다.

하지만 이렇게 불만만 터트리고, 부정하는 말만 꺼내는 서른한 살 아저씨에게 고등학생 신노를 보여 주고 싶었다. 촐랑거리고 조금 바보일지 몰라도 지금의 당신보다 훨씬 솔직하고 착하고 좋은 녀석이라고. 왜 그런 과거의 자신을 버렸냐고.

아오이가 되받아치려고 입을 열었을 때 현관홀에서 사람들이 우르르 들어왔다. 색깔이 화려한 드레스를 입고, 헤어도 휘황찬란하게 세팅한 여성 세 사람이 이쪽에, 정확하게는 신노스케에게 손을 흔들었다.

"아~ 신노~! 저기 있네~!"

치카의 달콤한 목소리와는 또 달랐다. 실로 감미로운 듯하면서 톡 쏘는 진저에일 같은 목소리였다. 세 사람은 신기한 듯 홀을 두리번거리며 "와~ 넓다!"라는 말을 주고받으면서 이쪽으로 다가왔다.

높은 굽이 홀 바닥을 또각또각 울렸다.

"아, 에코!"

트롬본 담당이 친숙하게 한 사람의 이름을 불렀다. 아오이는 신노스케를 힐끗 보았다. 신노스케는 당장에라도 '힉……' 하는 소리를 낼 것 같은 얼굴로 여성들을 응시했다.

"어? 어떻게……."

그의 입에서 겨우 당황스러운 목소리가 새어 나왔다.

"데리러 오셨대."

여성들보다 한발 늦게 아카네가 홀에 들어왔다. 신노스케의 표정이 얼어붙었다.

"니토베 씨는 먼저 가게로 가셨대요. 역시 프로는 다르네요~."

감정이 실려 있지 않은 아카네의 목소리에 아오이까지 등줄기가 오싹해졌다. 아무래도 요란하게 치장한 이 세 사람은 룸살롱 호스티스들인 듯했다.

"나 왔어~. 신!"

호스티스 한 사람이 아양을 떨며 신노스케에게 매달렸다. 신노스케는 "아니.", "그게 아니라……."라는 말을 되풀이했지만 다른 백업 밴드 멤버들은 그녀들의 꼬임에 넘어가 악기를 정리하기 시작했다.

"응? 신도 가자~!"

"신노스케 씨는 취하면 거칠어진다니깐~."

"어서~ 단키치 씨가 기다려~."

일부러 어미를 길게 늘이며 세 사람이 신노스케를 재촉했다. 그 모습에 치카는 환멸을 느끼기는커녕 "우와, 거친 타입이구나." 하고 어쩐지 기뻐 보였다. 뭐야, 얘는. 뭐가 이렇게 낙천적이야?

보고만 있어도 짜증이 일어 아오이는 신노스케에게서 시선을 돌렸다.

아카네는 작게, 아주 작게 한숨을 내쉬고 홀을 나갔다.

"이걸로 오늘은 끝났네."

촬영을 끝낸 스마트폰을 주머니에 집어넣은 마사츠구가 말을 걸어왔다. 치카는 마사츠구의 옆에서 스마트폰을 만지작거리고 있었다. "뭐 해?" 하고 마사츠구가 그녀의 손을 들여다보았다.

"아오이~."

치카가 아오이를 직접 불렀다.

"동영상 데이터, 네 폰에 보내 뒀어."

어젯밤에 자신의 스마트폰을 신노에게 빌려준 것을, 아오이는 진심으로 후회했다.

"이 호색한 시끼가아아아아아!"

사당에 신노의 괴성이 울렸다. 건물 전체가 흔들리는 것 아닐까 걱정될 정도로 성난 고함이었다.

스마트폰을 움켜쥔 신노가 몸부림치며 바닥을 뒹굴고 있었다. 저기 가서 데굴데굴, 여기 와서 데굴데굴. 온 사당을 굴러다니며 미쳐 날뛰었다.

"봐 버렸구나."

사당 문을 열며 마사츠구가 "아이고." 하고 손바닥으로 눈을 가렸다.

"대체 뭐야. 이 추잡한 아저씨는! 그것도 룸살롱이라니……이대로는 아카네를 맡길 수 없어. 아카네와 맺어 주기 전에 이쪽을 갱생해야 해!"

신노가 다시 스마트폰을 빤히 보았다. 최근 들어 완전히 신노에게 빼앗겨 버렸던 아웃도어 의자에 앉은 아오이는 자신의 베이스를 바라보았다.

신노스케의 추태를 보는 것도 싫지만, 그보다 리허설을 하는 자신의 모습이 더 끔찍했다. 시간이 지나면 지날수록 그것이 몸을 짓눌러 왔다.

"……그치만."

고래고래 소리 지르던 신노의 목소리가 갑자기 차분해졌다. 신노를 보니 그는 벽에 등을 기대고, 먼 곳을 바라보고 있었다. 바닥을 구른 탓에 머리카락이 이상하게 뻗쳐 있다.

"정말 프로가 되었구나."

미래의 자신에게, 추한 어른이 된 자신에게 선망과 다정함을 담은 음색으로 말한다.

"젠장, 이 자식 참외 배꼽인 주제에 폼 재기는."

"참외 배꼽이야?"

아오이는 무심코 흥미를 보이며 물었다.

"그래! 이거 봐."

신노가 셔츠 아래를 홱 끌어 올렸다. 참외 배꼽인지 아닌지 확인하기 전에 아오이는 "안 봐도 돼." 하고 고개를 돌렸다.

"아무튼, 일이 이렇게 됐으니 아오이가 나설 차례군."

셔츠를 내리며 신노가 벌떡 일어났다.

"뭐?"

"완전히 멋있게 연주해서 녀석의 콧대를 확 꺾어 버려!"

주먹을 불끈 쥐어 보이는 신노의 모습에 아오이는 순간적으로 베이스의 보디를 만졌다.

리허설 중에 받았던 신노의 차가운 시선, 혀 차는 소리, 짜증 난 얼굴을 떠올려 버렸다. 무엇보다 눈에 띄려고 계속 앞으로 나간 자신을 떠올리자 가슴이 차갑게 식었다.

"하…… 할 수 있을까?"

"당연하고말고! 너라면 틀림없이 할 수 있어."

그리고 자신의 왼쪽 눈을 가리킨다.

"그치? 눈알 스타!"

13년 전과 다를 바 없는 맑은 눈동자가 아오이를 응시했다. 그의 눈은 정말로 아름다웠다. 동그란 눈동자 속에 기대와 자신감, 야심, 그런 반짝거리는 것들이 응축해 있다.

정신을 차렸을 땐 천천히 고개를 끄덕이고 있었다.

"으, 응……."

한 번 수긍하고 나니 이상하게 힘이 솟아나기 시작했다. 가슴속에서 뜨거운 바람이 불었다. 아오이의 온몸을 훑고 지나간다.

"응!"

기분이 이상하다. 오후에 그렇게 실수만 했는데 왠지 해낼 수 있을 것 같은 기분이다. 신노가 믿는다면 자신도 믿어 보고 싶어졌다.

마사츠구가 그런 아오이를 '단순하기는' 하는 얼굴로 쳐다봤지만 신경 쓰지 않았다.

"좋았어! 그럼 당장 연습하자. 박자 측정기 있어?"

"앱이라면 그 스마트폰 안에 있어."

"또 스마트폰!? 진짜 물건이네, 이거."

스마트폰의 박자 측정기 앱을 쳐다보는 신노를 곁눈질하며 아오이는 어깨에 멘 베이스 끈 위치를 조정했다.

그때 문득 떠올랐다.

만약 모든 것이 잘 해결된다면. 신노스케가 아카네와 다시 사귀게 된다면.

그때 '신노'는 '신노스케'로 돌아간다.

그렇게 되면 지금 자신의 눈앞에 있는 '신노'는 어떻게 되는 거지? 우리가 함께 보낸 시간은 어떻게 돼?

"베이스는 말이야. 아무리 시끄럽고 집중이 흐트러져도 정확한 리듬으로 모두를 보조해 줄 수 있어야 해. 주변 소리를 잘 들으면서 자기 페이스도 유지해야 하거든."

아오이의 걱정도 모르고 신노는 신나게 조언을 해 주었다. 자신과 똑같은 자리에 점이 있는 그의 얼굴을 아오이는 빤히 바라보았다.

넋을 잃고 보았다는 표현이 맞을지도 모르겠다.

아오이가 그것을 깨닫게 된 건 훨씬 나중이 되어서였다.

* * *

호스티스들의 습격이 있은 다음 날, 신노스케는 홀에 나타나지 않았다. 학교가 끝나고 아오이가 뮤즈 파크의 소형 홀에 갔더니 신노스케가 빠진 백업 밴드 멤버들이 악기를 준비하고 있었다.

"뭐야~ 신노스케 씨 없어~?"

마사츠구에게 사정을 들은 치카가 어깨를 힘없이 늘어뜨렸다. 아오이는 참지 못하고 마사미치에게 다가갔다.

"왜 안 와? 곧 행사인데!"

"원래 오늘은 리허설 예정도 없었어."

그 말대로 원래 오늘은 연습을 쉬는 날이었다. 아오이와 마사미치가 도우미로 백업 밴드에 들어오게 되면서 급하게 연습을 넣게 된 것이었다.

"그리고 아마추어한테 맞춰서 연습하면 실력이 퇴보한대."

작게 덧붙인 마사미치의 말에 머릿속 무언가가 뚝 끊어지는 소리가 들렸다.

"……최악이야!"

고개를 숙인 채 욕설을 내뱉었다. 베이스 케이스를 든 손에 저절로 힘이 들어갔다.

"사람을 우습게 보는 것도 적당히 해……. 신노와 천지 차이야. 뭘 어떻게 하면 사람이 그렇게……."

"신노?"

아오이의 목소리를 흘려 넘기지 못한 치카가 곧바로 고개를 갸웃거렸다.

"아, 신노스케의 옛날 애칭이야."

마사미치가 말했다. 아오이는 고개를 가로저었다.

"아니야! 신노는 신노스케가 아니야!"

아니다, 아니다. 아오이가 머리를 붕붕 젓자 치카는 "음?" 하고 고개를 갸웃했다.

이벤트 스태프가 홀에 들어와 마사미치를 불렀다. "알았어요!"라고 대답한 마사미치가 아오이를 보았다.

"자, 연습하자! 우리 리듬 부대가 똑바로 하지 않으면 시작도 못 해."

"나도 알아!"

신노스케가 오지 않으면 오늘은 그 사람 때문에 짜증 날 일도 없다. 마음껏 연습해서 신노스케의 콧대를 꺾어 주겠다.

그런 아오이의 결의를 알 턱이 없는 치카가 등 뒤에서 "신노스케 씨 없으면 그냥 갈래."라고 중얼거리는 소리가 들렸다.

그날은 홀을 쓸 수 있을 때까지 연습했다. 신노스케가 없는 밴드는 조용하고 평화로웠다. 어린애니 여자니 아마추어니 대놓고 핀잔주는 사람도 없고, 신노스케를 제외한 다른 멤버들과는 원만하게 음을 맞출 수 있었다.

그런데 이 자리에 없는 신노스케가 평소의 위치에 있는 듯한 느낌이 사라지지 않았다. 짜증스러운 얼굴로 아오이를 보고 있다. '더럽게 못 하네' 하고 혀 차는 소리가 들리는 것 같다. 아오이는 그런 망상을 떨쳐내듯이 베이스 줄을 피크로 내리쳤다.

홀 연습이 끝나면 이번에는 사당으로 자리를 옮겨 신노와 함께 연습한다.

"좋아, 한 번 더."

앰프 위에 올려놓은 스마트폰으로 손을 뻗었다. 니토베가 행사 때 부를 곡의 가이드 연주를 재생하려는데 신노가 "괜찮냐?"라고 물었다.

"아까부터 쉬지도 않고 치고 있잖아. 여기 오기 전에도 멤버들이랑 연습했으면서."

사당 바닥에 다리를 쭉 뻗은 자세로 앉아 걱정스럽게 아오이를 보았다.

"괜찮아."

"그리고 슬슬 9시야."

사당에서 연습하는 건 9시까지 하라고 마사미치가 신신당부했었다.

"시기가 시기인 만큼 마사미치도 이해해 줄 거야."

"공부는 안 해도 돼?"

"괜찮다니까. 대학 갈 생각 없어."

무심코 버럭 화내고 말았다. 스마트폰 화면을 손가락으로 넘기는데, 신노가 "흠, 뭐 할 건데?"라고 끈질기게 물었다.

말할지 말지 딱 한순간 고민했다.

"……도쿄에 가서, 밴드 할 거야."

이 말을 하면 긍정적인 반응을 보이는 사람은 아무도 없었다. 아카네도, 선생님도, 마사츠구도, 마사미치도, 친한 친구도, 반 애들도.

그런데.

"오오오오! 내 의지를 이어받을 자가 이런 곳에 있었구만!"

실내 온도가 단숨에 올라갔다. 피부에 닿는 공기가 뜨거워졌다. 아오이는 끌려가듯이 신노를 보았다.

뺨을 물들인 신노가 이쪽으로 몸을 불쑥 내밀었다. 아오이는 그의 눈동자 속에 별똥별이 떨어진 것 같은 착각이 들었다. 당장에라도 이쪽으로 달려올 듯한 기세다.

아, 그렇다. 신노는 이런 사람이다.

"너무 그렇게 칭찬만 하지 마. 이건 그냥 핑계야."

"핑계?"

아오이는 양손으로 스마트폰을 꽉 쥐었다.

"내가 이 마을을 나가고 싶은 건 언니를 자유롭게 해 주고 싶어서야."

미간에 둔통이 일었다. 눈살을 찌푸리며 고개를 숙였다.

"나 때문에 언니는 하고 싶은 것들을 참아 왔어. 내가 여기에 남으면 언니는 평생 여기에 묶여 살아야겠지."

이런 말은 아무에게도 꺼낸 적이 없는데. 말하지 않으려고 했는데.

옆에 있던 의자에 털썩 주저앉아 신노를 흘끔 보았다. 그는 아무 말 없이 아오이를 바라보고 있었다. 시선을 피하지도, 고개를 숙이지도 않고, 똑바로 바라보고 있었다.

자연스레 말이 입 밖으로 흘러나왔다.

"그리고 솔직히 이거다 할 정도로 하고 싶은 것도 없는데 아깝게 돈 쓰게 하고 싶지 않아. 더 이상 언니 발목을 잡고 싶지 않아."

떨어져 있는데도 신노가 숨을 들이마시는 소리가 들렸다.

"그건 너무 비하하는 것 아냐? 아무도 너 때문이라고 생각하지 않아."

"전부 그렇게 생각해. 동네 아주머니도 친척들도."

앞으로 하고 싶은 일도, 즐거운 일도 수두룩했을 텐데 고등학생 때 부모를 잃으면서 네 살인 아오이를 돌봐야 하는 처지가 되었다.

아카네는 아오이를 위해 모든 것을 포기했다.

신노와 함께 도쿄에 가겠다는 약속도, 신노 자체도 아오이가 포기하게 만들었다.

"아오……."

신노가 아오이를 불렀다. 옛날처럼, 어릴 때처럼 '아오'라고 부른다.

"사실이야. 그러니까 내가 여기서 나가야 해."

가슴속에 꼭꼭 숨겨 뒀던 것을 전부 내뱉었더니 아주 조금 몸이 가벼워졌다. 숨을 크게 쉬자 이상하게 웃음이 나왔다.

"너 대단하다."

갑자기 신노가 말했다.

"뭐?"

지금 내 얘기 들은 거 맞아? 아오이는 휘둥그런 눈으로 신노를 바라보았다.

"사실은 내가 왜 여기에 있는지 고민해 봤거든."

사당의 천장을 올려다보며 신노는 말을 이었다.

"미련 때문에 생령이 된 건 아닐 거야, 역시."

하지만.

그렇게 말한 신노의 시선이 사당 구석에 자리 잡은 아카네스페셜로 향했다. 녹이 슨 자신의 기타를 잠시 바라보았다.

"사실은 나, 한편으론 여기서 나가는 거 무서웠던 게 아닐까."

그렇구나, 자신은 지금 신노와 같은 고등학생이구나. 그리고 마찬가지로 이 마을을 나가려고 하고 있구나. 그제야 아오이는 깨달았다.

아오이는 의자에서 일어나 신노에게 다가갔다.

"그런 거 보면 넌 정말 대단해. 이래저래 고민도 하지만, 깊이 생각해서 이곳에서 나가려고……."

신노의 말이 끝나기 전에 아오이는 그의 머리로 손을 뻗었다. 어젯밤 그가 했던 것처럼. 13년 전에 그가 아오이에게 했던 것처럼, 머리를 쓰다듬어 주었다.

"어?"

신노가 아오이를 보았다. 깜짝 놀라 손을 뗐다.

"……요전 거 답례."

고개를 획 돌려 퉁명스럽게 말했다.

"답례라니 너……."

"베이스는 모두를 보조해야 하니까!"

신노는 잠시 아무 말 없이 아오이를 응시했다. 이윽고 피식 웃었다.

"그렇지!"

웃음소리는 점점 커졌다.

"역시 미래의 우리 베이시스트."

신노의 웃음 섞인 말에 아오이는 숨을 삼켰다. "아, 어라? 지금이 미래인가?"라며 사뭇 진지한 표정으로 말하는 그의 말을 잘랐다.

"기억하고 있었어?"

아오이의 물음에 신노는 눈을 끔뻑거렸다.

"기억하고 자시고 약속했잖아. 너도 그럴 생각으로 베이스 시작한 거 아냐?"

무릎 위에 올린 양손에 힘이 실렸다. 신노가 의아하다는 듯 이쪽을 보았다.

그 이유가 자신의 뺨이 새빨개져서라는 것을 깨닫는 데 시간은 필요하지 않았다. 뺨이 타들어 갈 듯이 뜨거웠다.

"나한테도, 해 줘."

고개를 숙여 얼굴을 가린 채 모깃소리로 말했다. 그러지 않으면 목소리가 떨릴 것 같았다.

"뭘? 그냥 쓰다듬으면 돼?"

옷이 스치는 소리가 들리며 신노가 자신의 머리에 손을 뻗었다는 것을 알았다. 느껴진다. 눈에 보이지 않아도 신노의 체온이 자신의 머리 위로 다가오고 있는 것이 느껴진다.

그저께 머리를 쓰다듬어 줬을 때와는 뭔가가 달랐다. 압도적으로 달랐다.

지금 그가 머리를 쓰다듬어 주면 신노스케와 함께 무대에서 베이스를 칠 수 있을까. 그렇게 생각한 순간 고개를 획 들었다.

깜짝 놀란 신노가 팔을 걷었지만 아오이는 개의치 않고 앞머리를 손으로 넘겨 올렸다.

"이마에 딱밤 때려 줘!"

자, 하고 이마를 들이미는 아오이에게 신노가 "뭐?" 하고 미간을 살짝 찌푸렸다.

"해 줄 수는 있는데."

아오이는 눈을 질끈 감았다. "세게!" 하고 소리쳤다.

"알았어."

신노가 씨익 웃는 것이 느껴진다. 그 순간 따악! 하는 소리와 함께 이마에 극심한 통증이 일었다.

"아야아아아아아아아!"

양손으로 이마를 누르며 소리 질렀다. 온몸에서 무언가를 다 쏟아내듯이, 온몸의 피를 다 태워 버리듯이 힘껏 소리쳤다.

"아, 아오이……?"

아오이는 걱정스럽게 자신을 쳐다보는 신노를 무시하고 벌떡 일어났다.

"그럼! 내일 보자아아아아아아아!"

당황한 신노를 놔두고 아오이는 사당을 뛰쳐나왔다. 등 뒤에서 신노가 무어라 말했다. "아오!" 하고 이름도 불렀다.

못 들은 척 달렸다. 어두컴컴한 길을 달려 나오다가 나뭇가지인지 뭔지가 이마를 스쳐 따끔거렸다.

기둥문을 지나 돌계단을 뛰어내려서 사당에서 멀리 떨어진 곳까지 와서야 발을 멈췄다. 집 방향을 향해 어깻숨을 내쉬며 밤길을 걸었다.

신노에게 딱밤을 맞은 이마에 손을 갖다 댔다.

"뭐 하는 거야, 나……."

집이 보이기 시작했다. 불이 켜져 있다. 아카네가 있다. 분명 저녁을 차려 놓고 아오이를 기다리고 있다.

"언니와, 신노스케 씨를 꼭 이어 줄 테야."

자신의 가슴에, 자신의 목소리로 자신의 말로, 새겼다.

"언니를 위해서도, 신노를 위해서도."

그러지 않으면…… 그러지 않으면 어느 타이밍에 무너져 버릴 것 같았다.

◆ ◆ ◆

무뚝뚝한 점원이었다.

무엇에 그렇게 짜증이 났는지 심통이 난 얼굴로 계산을 끝내고, 신노스케에게 영수증과 잔돈을 건네준다.

그 얼굴이 아오이와 조금 닮아 보였다.

연습을 빼먹은 신노스케 때문에 아오이는 분명 단단히 화가 났으리라. '아마추어한테 맞춰 연습하면 실력이 퇴보한다'라는 선언까지 했으니 더더욱.

며칠 전 소형 홀에서 〈간다라〉를 불렀던 아오이가, 아오이의 연주와 음이 문득 신노스케의 뇌리를 스쳤다.

신노스케를 이 세상에서 제일 미워하고 경멸하는 눈이었다. 불태워 죽일 듯한 눈빛이었다. 그에 분노하는 한심한 자신이 가슴 한쪽에 있었다.

만화 잡지를 넣은 봉투를 들고 계산대 옆에 있는 커피 기계에서 뜨거운 커피를 뽑았다. 컵을 한 손에 들고 편의점을 나오자 고등학생 단체가 즐겁게 깔깔거리며 가게 앞을 스쳐 지나갔다.

기타 케이스를 든 두 학생이 눈에 들어왔다. 수업을 끝내고 어딘가로 연습하러 가는 걸까. 문화제에서 라이브라도 하는 걸까.

그들의 모습이 고등학생 무렵의 자신들과 겹쳐 보였다.

신노스케, 마사미치, 반바, 아보, 그리고 아카네. 시건방진 고딩이 되어 버린 아오이도 당시에는 아직 조그매서 귀여운 데가 있었다.

자신이 아직 '신노'라는 애칭으로 불리던 시절. 신노에게는 꿈과 희망이 있었다. 자신의 미래는 찬란하리라는 확신과 자신이 있었다. 노력하면 노력한 만큼 길이 열릴 것이라고, 그래서 이 마을을 나와 도쿄에서 꿈을 이루겠노라는 너무 큰 야망을 품고 있었다.

작은 기둥문과 숲을 지나면 보이는 오래된 사당에서 그

과대한 야심과 장대한 꿈을 연필로 그렸다.

도쿄에는 함께 못 가.

아카네에게 그 말을 들은 날. 사당에 오랫동안 틀어박혀 있었다. 그녀의 이름을 붙인 기타를 케이스에 넣어 접착테이프로 칭칭 감았다.

아무도 없는 고요한 사당에 접착테이프를 감는 우울한 소리가 끝없이 울렸던 기억이 신노스케의 머릿속에 선명히 남아 있다.

자기 손으로 기타 케이스를 꽉 잠근 것도. 그 차갑고 서글픈 소리도 기억한다.

혼자서 도쿄에 갔다. 꿈을 이루면 아카네를 데리러 오겠다. 속으로 그리 맹세했다. 월세 4만 엔의 작은 공동주택에 이사한 첫날, 커튼도 없는 텅 빈 방에서.

그랬다. 그 공동주택은 세이부이케부쿠로선(線)에 접해 있었다. 창밖을 보면 치치부로 가는 레드 애로호가 가로질러 달린다. 회색 차체에 그인 새빨간 선을 노려보며 신노스케는 맹세했었다. 대단한 뮤지션이 되자. 아카네를 데리러 갈 수 있게, 아카네가 안심하며 내 손을 잡을 수 있게. 스스로에게 그런 주문을 걸었다.

하지만 현실은 정말, 정말, 정말, 녹록지 않았다. 잘되는 일이 하나도 없었다. 밴드를 결성해도, 아무리 좋은 곡을 만들어도, 착실하게 라이브 활동을 해도, 전혀 팔리지 않았다. 그 사이에 멤버는 '미래가 없다'라며 한 사람 빠지고, '이제 그만 취직하려고'라며 한 사람 빠지고, '고향에 돌아갈래'라며 한 사람 빠지고를 반복했다. 멤버가 바뀔 때마다 밴드의 음악은 정체했다. 솔로 활동도 했었다. 그것도 결과는 시원찮았다.

그러는 사이에 니토베의 백업 밴드 제안이 들어왔다. 솔직히 처음에는 엔카 가수의 백업 밴드라니 썩 내키지 않았다.

하지만 큰일을 위해서는 희생을 감수해야 했다. 이 기회를 놓치면 더는 내게 음악의 길은 없다. 그렇게 생각했다.

무의식적으로 한숨을 내쉬었다. 커피가 들어간 컵에 입을 댔지만 너무 뜨거워서 아직 마실 상태가 아니었다.

앗뜨, 하고 신음하며 얼굴을 찌푸린 그때였다.

"앗!"

편의점에 들어가려고 하던 여고생이 이쪽을 가리켰다. 묘하게 달달한 목소리였다.

폴짝폴짝 뛰듯이 이쪽으로 달려온 그 아이는 어제 아오이와 함께 홀에 왔던 아이였다. 친구라고 하기에는 분위기가 너무 다르다고 생각했었다. 그 아이는 고등학생인 아오이가 한 번도 보여 준 적 없는 환한 미소로 "발견!" 하고 신노스케의 앞에 섰다.

제3장

1

이어폰을 귀에 꽂자, 아침의 시끌벅적한 교실에서 혼자만 격리된 느낌이 들었다. 아오이는 책상에 엎드려서 행사 때 연주할 니토베의 노래를 들으며 손끝으로 리듬을 탔다.

누군가가 창문을 열었나 보다. 창가 쪽 아오이의 자리에 쌀쌀한 아침 바람이 불었다. 가을다운 건조하고 시원한 바람이다.

근처에서 남학생이 낄낄거리며 큰 소리로 웃는다. 시끄럽다고 생각하면서도 아오이는 계속해서 손끝으로 리듬을 탔다. 톡톡톡, 톡톡톡. 집게손가락으로 책상을 두드린다. 머릿속을 소리로 채워간다.

방심하면 어젯밤 신노에게 딱밤을 맞았을 때의 통증이 문득 생각난다. 신노의 수많은 표정과 말이 아오이의 머릿속을 맴돌았다.

정신을 차렸을 땐 리듬을 타던 손이 멈춰 있었다. 한숨을 내쉰 아오이는 이어폰을 뺐다.

"그거 알아? 치카 말이야. 어제 남자랑 있더래."

갑자기 주변의 목소리가 선명하게 귓속에 날아들었다.

"뭐? 진짜?"

"그렇다니까! 그것도 연상이래."

멀리 있어도 똑똑히 들리는 카랑카랑한 목소리로 여자애 세 명이 대화하고 있었다. 본인들은 몰래 숙덕이고 있다고 생각하는 걸까. 온 교실에 그녀들의 목소리가 울렸다.

"취향 진짜 독특해!! 아저씨래!"

"뭐야, 아저씨야?"

아저씨. 그 단어에 볼이 움찔 하고 경련했다.

"그런데 제법 잘생겼더래."

"돈이 많은가?"

키득거리는 세 사람의 경박한 웃음소리 속에서 신노스케의 얼굴이 불쑥 튀어나왔다. 치카의 어깨를 감싸고 어둠 속을 향해 걸어가는 모습이 떠오른다.

저속한 대화를 이어가는 그녀들 뒤로 복도를 걷는 치카의 모습을 발견했다. 그녀는 입이 찢어지게 하품을 하며 교실로 들어오려는 참이었다. "아, 치카 왔다."라며 셋 중의 한 명이 말했다.

아오이는 자리에서 일어나 큰 보폭으로 걸어 나갔다. 아오이를 발견한 치카가 "안녕~." 하고 손을 흔들었다. 그 손을 덥석 잡아채고 교실과는 반대 방향으로 걸어갔다.

"어? 뭐야?"

왜 그러냐는 치카를 무시하고 복도 끝에 있는 여자 화장실까지 갔다.

"아파! 이거 놔!"

세면대 앞에서 치카가 아오이의 손을 뿌리쳤다. 평소에는 절대 꺼내지 않는 거친 말투였다. 치카는 아오이의 얼굴을 보며 의심스럽게 "뭔데?"라며 고개를 갸웃거렸다.

"어제 누구와 같이 있었어?"

"신노스케 씨랑 있었는데?"

치카는 부끄러워하는 기색도 없이 그 이름을 언급했다. 아오이는 어금니를 꽉 깨물고 치카를 노려보았다.

"저질."

"엥? 왜? 아무것도 안 했는데?"

거짓말 마.

"혹시 아오이, 너 역시 신노스케 씨를 좋아해?"

눈을 게슴츠레 뜨며 아오이를 도발하는 투로 치카가 웃었다. 아오이는 깨문 어금니에 더 힘을 주었다.

"안 좋아해! 나는, 신노가……."

신노가.

신노가, 신노가, 신노가.

나는 신노가──.

얼굴을 일그러뜨리며 아오이는 고개를 숙였다. 화장실 바닥을 노려보며 악문 이 틈새로 천천히 숨을 내뱉었다.

아오이가 잠자코만 있자, 치카가 "정말～." 하고 탄식했다.

"아무리 나라도 친구 남자한테는 손대지 않아. 신노라는 사람은 신노스케 씨와 다른 사람이지?"

"……그래."

아오이는 쥐어짜듯이 긍정했다. 다르다. 신노와 신노스케는 다르다. 전혀 다르다.

"그래서 넌 그 '신노'를 좋아하는 거고."

어깨에 멘 학교 가방을 다시 추켜올리며 별것 아니라는 듯한 투로 치카가 물었다. 정말, 정말로 아무것도 아니라는 식으로.

"그래, 좋아해!"

그래서 말할 수 있었던 건지도 모른다. 큰 소리에 깜짝 놀란 치카가 "뭐야?"라며 뒷걸음질 쳤다.

"좋아해, 그게 나빠?"

그래, 나빠.

귓속에서 목소리가 들렸다. 아오이 자신의 목소리였다.

"누가 나쁘다고 그……?"

치카의 말이 거기까지 나온 순간 아오이는 양손에 얼굴을 파묻고 그 자리에 몸을 웅크렸다.

"뭐야!? 왜 그래? 잠…… 아, 아오이～?"

동요한 치카의 목소리가 위에서 내려온다.

"나쁜 거야…… 이러면, 안 된단 말이야."

안 된다. 절대 안 된다. 왜냐면 자신에겐 역할이 있다. 아카네와 신노스케를 이어 주겠다고 신노와 한 약속이 있다. 두 사람이 다시 연인이 되면 신노는 신노스케의 몸에 돌아간다. 신노는 사라진다. 소원을 이뤄서 자신에게로 돌아간다.

그런 그를 좋아해서는 안 된다.

2

아카네는 6시가 넘어서 돌아왔다. 아카네의 짐니가 마당에 들어오는 소리가 들리고, 차 문이 열리는 소리, 닫히는 소리, 아카네의 발소리, 열쇠를 여는 소리가 순서대로 들려왔다.

문이 열린다.

"엄마야!?"

아카네의 입에서 인사보다 고함이 먼저 나왔다.

현관 앞 계단에 앉은 아오이가 아카네를 올려다보았다.

이미 해가 완전히 져서 집 안은 어두컴컴했다. 복도도 거실도 부엌도 전등을 켜지 않아 더더욱.

"아, 아오이? 놀랐잖아, 집에 왔으면 연락을 줘야지~. 전화를 걸어도 받지도 않고 말이야~."

오늘도 아카네가 데리러 와 주는 날이지만 아무 연락도

없이 혼자 돌아왔다. 화났겠지? 내일부터 차에 태워 주지 않을지도 몰라. 그런 생각을 하면서도 아무 말 없이 집까지 1시간 이상 걸리는 길을 걸었다.

"왜."

신발을 벗은 아카네에게 아오이는 물었다. "신노를⋯⋯." 이라고 서두를 꺼냈다가 바로 말을 바꿨다.

"신노스케 씨를 따라가지 않았어?"

부엌으로 가려던 아카네의 다리가 멈칫했다. 다리가 바닥에 꿰여 버린 것처럼 천천히 아오이 앞에서 멈춰 섰다.

"뭐?"

아카네는 여전히 웃는 얼굴이었다.

"갑자기 왜⋯⋯?"

"언니가 따라갔다면, 그랬다면 신노스케 씨는 분명 저런 인간이 되지 않았을 거야! 지금도 옛날의 신노 그대로였을 거야!"

무릎 위에 올린 양손을 꽉 쥐었다.

"지금 무슨 얘기를 하는 거니⋯⋯?"

벌떡 일어난 아오이는 아카네를 빤히 쳐다보았다.

아카네는 여전히 웃고 있었다. 옛날부터 그랬다. 부모님이 교통사고로 돌아가신 후부터 아카네는 계속 웃었다.

"⋯⋯난 언니처럼 되고 싶지 않아!"

무려 장례식 때도 그랬다. 상복 차림의 친척과 조문객들에게 둘러싸여도 고등학교 교복을 입은 아카네는 미소를 지으며 감사의 말을 건넸다. "힘내거라."라는 말에 "그래야죠."라며 대답했다.

아카네는 웃으면서 노력했다.

"하고 싶은 일도 참고, 후회하고, 이런 감옥 같은 곳에서 늙어 죽을 때까지 사는 거, 딱 질색이야!"

아카네를 그렇게 만든 사람은 아오이다. 알고 있다. 그래서 아카네에게 이런 말을 하고 싶지 않았다. 아냐, 아냐아냐아냐. 이딴 심한 말을 아카네에게 하려던 게 아니었다.

"바보 같아……!"

바보는 나다.

어깨를 들썩이며 얕은 호흡을 반복했다. 천천히 고개를 든 아오이는 숨을 삼켰다.

아카네는 그래도 역시나 웃고 있었다. 쓸쓸하고 우울한 눈빛으로 아오이를 보며 미소 짓고 있었다.

"바보 같다라."

아카네가 볼을 붉적이며 중얼거렸다. 화를 내는 것도, 우는 것도 아니었지만, 아카네에게 상처를 줬다는 것을 아오이는 깨달았다.

무릎이 떨렸다. 덜덜 경련하는 듯했다.

아오이는 떨림이 몸 전체로 퍼져 나가기 전에 뛰쳐나왔다. 집에 오자마자 현관에 던져 뒀던 가방과 베이스 케이스를 안고 거칠게 신발을 신고 현관문을 열어젖혔다.

차가운 바깥 공기가 뜨거워진 뺨을 쓰다듬는다.

"아오이!"

아카네의 목소리를 등으로 거부하며 달렸다.

사당에 갈 수는 없었다. 그곳에 가면 더 괴로워질 뿐이라는 것을 알았다. 결국 아오이가 선택한 곳은 마사츠구네 집이었다. 마사츠구는 자세한 건 하나도 물어보지 않았다.

"아…… 난, 역시 못됐어."

마사츠구의 방석에 앉아 베이스 보디를 쓰다듬으며 아오이는 중얼거렸다. 방구석의 의자에 앉아 게임을 하던 마사츠구가 생각도 하지 않고 "맞아." 하고 고개를 끄덕였다.

"초등학생 방에 느닷없이 들이닥쳐서 꼭 자기 방처럼 발 뻗고 있는 거 보면 정말 못됐지."

"신노스케가 나보다 몇천 배는 더 못된 인간이잖아!"

아오이는 마사츠구의 무덤덤한 말투에 화가 나서 소리쳤다. "누나, 팬티 보여."라고 마사츠구가 냉정하게 지적했지만, 무시하고 벌떡 일어났다.

"결심했어!"

마사츠구의 방을 나와 복도를 지나자 거실에서 마사미치가 탁상 난로에 몸을 넣은 채 코를 골며 자고 있었다.

탁상 난로 위에는 메모로 빽빽한 악보가 있었다. 옆에 놓인 스틱은 머리 주변이 너덜너덜했다.

"아오 누나, 좀 침착해져 봐."

마사츠구가 쫓아왔지만 아오이는 무시하고 마사미치를 불렀다.

"마사미치!"

마사미치에게 서슴없이 다가가자 그가 부스스 눈을 떴다. 아오이를 올려다보며 "음냐?" 하고 얼빠진 소리를 냈다.

"나 마사미치와 언니가 결혼하는 데 협력할게!"

큰 소리로 선언하니 마사미치는 크게 하품하며 "흐음, 그 랴……?" 하고 눈을 비볐다. 그 직후 눈을 번뜩 뜨며 몸을 일으킨다.

"뭐라고오오!?"

등 뒤에서 마사츠구가 "아빠, 밤에 소리 지르지 마."라고 주의를 줬다. 마사미치가 황급히 손으로 입을 틀어막았다.

"아, 아오이!"

그래도 충분히 큰 목소리였다. 집이 흔들리는 줄 알았다.

"너 이혼남이랑 결혼하는 건 결사반대라고 했잖아."

"그 말은 취소할게. 지금의 그 '신노스케'한테 뺏기는 것보단 나아."

신노스케와 사귀어도, 결혼해도 아카네는 절대 행복해지지 못한다. 결코.

입술을 꽉 깨무는 아오이의 모습에 마사미치는 어째서인지 차분한 표정을 지었다.

표정이 매번 이랬다저랬다 바쁘게 바뀌는 평소의 그답지 않은, 차분한 표정으로 아오이를 보았다.

"고마운 말이지만 네 협력은 없어도 돼."

평소의 그답지 않게 어딘가 덤덤한 목소리로 말한다.

"뭐?"

"니토베 씨에게 이번 일을 의뢰하기로 한 건 신노가 있어서였어."

신노가, 있어서.

마사미치의 말에 아오이는 눈을 부릅떴다. 무슨 말이야? 라고 묻고 싶은데 말이 나오지 않았다. 마사미치는 코타츠 위에 놓여 있던 추하이* 캔을 들이켰다.

"깔끔하게 끝내지 못한 것들을 정리하지 않으면 앞으로 나아가지 못할 것 같았거든. 그런 나이야, 나나 아카네도."

어른이란 건 원래 그런 거다. 그런 말투였다.

그 옆얼굴을 보는 순간 가슴속에서 무언가가 불타올랐다.

마사미치가 코타츠에 놔둔 추하이를 낚아채서 남은 술을 마사미치의 얼굴에 들이부었다. "앗 차가!" 하고 비명을 지르며 마사미치가 방바닥 위를 뒹굴었다.

손에 쥔 알루미늄 캔을 빠직 하고 찌그러뜨렸다.

"아오이! 무슨 짓이야!"

이쪽을 흘겨보는 마사미치를 온 힘을 다해 째려보았다.

---

* 일본식 탄산 소주.

"더러워."

신노스케가 멋있게 꿈을 이루지 못한 것을 알고, 그와 재회시켜서 아카네가 마음을 접게 하려고 하다니.

그런 비겁한 수를 쓴 마사미치도, 그런 꼴사나운 어른이 되어 버린 신노스케도, 전부, 전부 더럽다.

그런 짓을 하지 않으면 앞으로 나아가지 못하는 어른이라니. 그딴 인간이 되려고 나이를 먹어야 한다니.

"어른도, 당신 뱃살도, 전부 더러워!"

그렇게 소리치자 마사미치는 "뭐라고?"라며 인상을 찌푸렸다. "아오 누나." 하고 걱정스럽게 아오이의 얼굴을 들여다보는 마사츠구에게 추하이 캔을 밀어 넘긴 아오이는 묵묵히 마사미치의 집을 나왔다.

결국 갈 곳이 없어져 버렸다. 이럴 때 도망칠 곳도 없는 이 마을이 새삼 원망스러웠다.

조심히 집 현관문을 열었다. 아카네는 목욕 중인지 거실도 부엌도 조용했다. 저녁밥은 조림이었던 걸까. 간장과 설탕을 섞은 듯한 냄새가 부엌에 은은히 남아 있다.

식탁에 천을 덮은 접시가 놓여 있었다. 천을 치워 보니 주먹밥이 두 개 있다.

김으로 깔끔하게 싼 주먹밥을 멍하니 바라보고 있었더니 복도에서 발소리가 들려왔다.

"아오이, 왔구나."

아카네가 수건으로 머리를 닦으면서 거실로 들어왔다.

"사당에 간 건 아니던데."

"언니, 사당에 갔었어……?"

아오이는 조심스럽게 물었다. 왜냐면 사당에는 신노가 있으니까.

아카네는 조금 전의 일은 아예 없었던 것처럼 미소를 짓고 있다. 아무래도 신노는 모습을 들키는 실수를 하지는 않은 모양이다.

"주먹밥 만들어서 가져갔는데 없더라. 츠구네에 갔었어?"

"아, 응."

머리카락을 수건으로 싸서 툭툭 두드리며 아카네가 부엌으로 들어왔다.

"냄비에 야채와 닭고기 조린 게 있으니까 주먹밥이랑 같이 먹어. 배고프지?"

식탁 위의 주먹밥을 힐끗 쳐다본 아카네가 "어라?" 하고 고개를 갸웃거렸다.

"……왜?"

"주먹밥, 분명 세 개 만들었는데."

접시 위에 주먹밥은 두 개밖에 없다.

설마.

"아, 내가 가다가 떨궜나? 어두워서 전혀 몰랐네."

손으로 뺨을 감싸며 "내 정신 좀 봐." 하고 웃는 아카네의 모습에 아오이는 입술을 꾹 다물었다.

주먹밥을 쥐고 입안 가득히 넣었다. 속은 다시마였다. 다시마조림에 깨가 살짝 뿌려져 있다. 아오이는 고소한 깨의 식감을 옛날부터 좋아했다.

"앉아서 먹어. 조림 데워 줄게."

"주먹밥, 전부 다시마 들었어?"

다시마조림 주먹밥을 씹으면서 아오이는 물었다. 아카네는 뒤돌아보지 않고 "물론이지." 하고 대답했다. 노래라도 부르듯이 어깨를 들썩이며 가스레인지 앞에 선다. 조림을 그릇에 옮겨 전자레인지에 가져간다.

아카네가 만든 세 개의 주먹밥. 하나를 먹은 건 신노다.

고등학생 때 참치마요 주먹밥이 좋다고 했는데도 한 번도 받아보지 못한 신노는 다시마조림 주먹밥을 어떤 마음으로 먹었을까.

3

행사를 내일모레로 앞둔 그날은 하늘이 흐렸다.

당장에라도 빗방울이 떨어질 듯한 날씨 속에서 뮤즈 파크 음악당 앞에는 트럭이 여러 대나 정차해 있다. 행사 당일을 대비해서 야외무대에서는 바쁘게 준비가 진행되고 있었다.

【제1회 음악의 도시 페스티벌】이라는 거대한 간판이 걸린 무대 위에서 아오이는 분주하게 뛰어다니는 스태프들을 바라보았다.

아카네가 클립보드를 들고 객석 쪽으로 걸어가고 있다. 그곳에 작은 상자를 안은 치카가 "아카네 씨~." 하고 달려가서 뭐라고 지시를 청한다.

참 뜻밖에도 치카는 행사 준비를 부지런히 도와주었다. 편한 트레이닝복을 입고 짐이며 서류를 안고 여기저기 돌아다녔다.

"아오이~."

아오이를 발견한 치카가 손을 휘휘 흔들었다. 아오이는 대놓고 무시하며 무대를 내려왔다.

백업 밴드로 무대에 서는 아오이는 딱히 도울 일이 없었다. 행사 당일에 실수하지 않도록 오늘도 오로지 연습할 뿐이다.

"아이참. 언제까지 무시할 거야?"

야외무대를 벗어나 음악당의 소형 홀로 가려고 하는데 치카가 쫓아왔다.

"가까이 오지 마, 헤픈녀야."

아주 차갑게 내뱉었다. 아오이는 걸음을 멈추지 않고 음악당의 현관홀로 들어갔다.

"우와, 네이밍 센스 진짜 없다~."

순간 얼이 빠진 치카는 과장되게 어깨를 으쓱했다. '헤픈녀' 라는 말을 듣고도 태연한 표정을 짓고 있을 수 있는 치카의 신경을 정말, 정말 모르겠다.

"그러니까, 아~무 일도 없었다니까 그러네."

사람 말을 왜 안 듣느냐는 듯한 말투에 울컥 화가 났다. 아오이는 머리카락을 흩뜨리며 치카를 보았다.

"아무 일도 없었을 리가 있나! 개망나니와 헤픈녀가 같이 있었다면 원조 교제 말고 뭐 있어!"

"그건 나도 의외더라니까. 허튼 데가 전혀 없더라. 겁쟁이야."

치카가 어깨를 떨구며 흥미를 잃은 얼굴로 대답했다. 헛다리 짚었다는 얼굴로 손끝을 조몰락거리는 치카의 모습에 아오이의 입이 반쯤 벌어졌다.

"아~ 나를 이곳에서 데리고 나가 줄 왕자님은 대체 어디에 있는 걸까……."

지긋지긋하다는 얼굴로 우중충한 하늘을 올려다보는 치카를 야외무대 쪽에서 부르는 사람이 있었다.

"오타키 양~ 아까 부탁한 접수 용지 어디 있어?"

그러자 갑자기 치카가 "네에!" 하고 예의 갖춘 대답을 외쳤다. "입구 앞 트럭 위에 올려 뒀어요!" 하고 이벤트 스태프가 있는 곳으로 달려갔다.

멍하니 서 있는 아카네만 남았다. 뭐지. 자기 혼자 철없는 어린애에 어리석고 매우 부끄러운 존재로 느껴졌다.

거칠게 콧방귀를 뀌며 소형 홀의 문을 열었다. 아무도 없었다. 충분히 연습할 수 있겠다 싶었는데 막상 베이스를 잡으니 전혀 집중이 되지 않았다. 평소에 하지 않을 실수를 몇 번이나 했고, 결국 30분도 채 안 되어서 홀을 나와 버렸다.

홀 문을 닫을 때 드럼 세트가 눈에 들어왔다. 마사미치도 연습하지 않으면 큰일 날 상황이지만 오늘은 시청 업무로 바쁜 모양이다.

마사미치는 아카네를 위해서 니토베에게 행사 출연을 의뢰했다. 아카네와 신노스케를 만나게 하면 아카네가 신노스케를 향한 미련을 버릴 것이라 기대하고.

그리고 자신을 고를 것을 기대하고.

아카네와 마사미치를 이어 주자. 한 번은 그렇게 생각했었다. 하지만 마사미치의 의도를 들은 후로 완전히 식어 버렸다. 아오이는 또다시 눈앞이 깜깜해졌다.

음악당을 나와 인적이 없는 건물 뒤편으로 걸어갔다. 시끌벅적한 소리가 들려오는 야외무대 쪽으로는 도무지 발길이 내키지 않았다.

주머니에 양손을 찔러 넣은 채 활엽수가 심어진 산책로를 걸었다.

낙엽을 밟았다. 건조한 소리가 발바닥에 울린다. 여름에 그토록 파릇파릇하던 것이 거짓말처럼 선명한 노란색을 띠고 있다. 빨강, 노랑, 갈색. 가을빛으로 물든 나무를 곁눈질로 보며 아오이는 걸었다.

습한 냄새가 강해졌다. 이제 슬슬 비가 내리려는지도 모른다. 그렇게 생각하며 연한 먹색 하늘을 올려다본 그때였다. 바람을 타고 소리가 들려왔다. 기타 소리였다.

신노스케의 기타 소리다.

소리를 따라 산책로를 걸어가니 음악당 뒤편에 도착했다.

신노스케는 아무도 없는 조용한 계단에 앉아 기타를 치고 있었다.

오늘은 한 번도 모습을 보지 못했다. 또 연습을 빼먹는 줄 알았는데 진지한 눈빛으로 기타 줄을 노려보고 있었다. 그 얼굴은 어딘가 신노의 모습을 연상케 했다.

심지어 그는 노래까지 불렀다.

〈간다라〉를.

그곳에 가면
어떠한 꿈도 이루어진단다
모두가 가고 싶어 하지만 머나먼 세계
그 나라의 이름은 간다라
어딘가에 있을 유토피아
어떻게 갈 수 있을까
가르쳐 주오

대단한 뮤지션이 되겠다는 꿈을 안고 상경하였지만, 그 꿈을 이루지 못하고, 꿈도 잃게 된 서른한 살의 신노스케가.

어딘가 멀리 있을, 어떠한 꿈도 이뤄 준다고 하는 유토피아를 찾는 노래를 부르고 있다.

아오이는 그런 신노스케를 멍하니 바라보았다. 그런데 신노스케가 후렴구 직전에 노래를 멈췄다. 봐서는 안 될 장면을 보고 만 찝찝함에 아오이는 서둘러 건물 뒤로 몸을 숨겼다.

그때,

"왜 부르다 말아?"

아카네의 목소리가 들렸다.

아오이의 반대편에서 아카네가 나타났다. 이벤트 스태프, 혹은 시청 직원을 찾으러 온 걸까.

아니면 신노스케를 찾으러 온 걸까.

"계속해."

어서어서 하고 손을 흔드는 아카네. 신노스케는 아카네를 빤히 바라본 뒤 체념한 듯 기타에서 손을 뗐다.

"난 도쿄로 가면 어떤 꿈도 이룰 수 있을 줄 알았어."

한 박자 쉬고 어깨를 떨군다.

"하지만 아니었어."

"꿈이라면 이뤘잖아. 기타를 업으로 하고 있으니까."

아카네는 부드럽게 대답했다.

"엔카 가수의 전속 백업 밴드를 하고 싶던 건 아니었어."

"하지만."

"불만은 없어. 니토베 씨에겐 감사하고 있어. 음악 일을 할 수 있는 것만으로 감지덕지하지."

신노스케의 옆모습은 매우 피곤에 절어 있었다. 피식 웃으며 띄엄띄엄 말을 이어간다.

"하지만…… 굳이 소중한 것을 버리면서까지 도쿄를 갈 필요가 있었는지는 모르겠다."

소중한 것. 신노스케에게 '소중한 것'의 대부분은 분명 아카네였다.

그것을 아카네 역시 알고 있다. 고개를 숙인 아카네의 모습에 아오이는 입고 있던 파카 자락을 꽉 쥐었다.

"그럼 다른 곡 신청해도 돼?"

웃으며 고개를 든 아카네의 말에 신노스케가 "어?" 하고 얼굴을 찌푸렸다.

하지만 아카네는 개의치 않고 말을 이었다.

"〈하늘의 푸르름을 아는 사람이여〉."

들어본 적도 없는 곡명이었다. 하지만 신노스케는 어찌할 바를 몰라 하며 귓불을 붉혔다. 오른손으로 입가를 가리며 "어떻게……." 하고 중얼거렸다.

"잊지 않고 샀지. 신노의 솔로 데뷔곡."

신노의, 솔로 데뷔곡.

뭐? 하는 소리가 튀어나올 뻔했다. 신노스케가 솔로로 데

뛰했을 줄은 몰랐다. 그런 말은 아카네도, 마사미치도, 신노스케 본인도 하지 않았다.

"흑역사야."

고개를 숙여 얼굴을 가리는 신노스케에게 아카네는 천천히 다가갔다. 13년 전이라는 시간을 채우듯이 한 단씩 계단을 올라갔다.

"〈간다라〉만큼 좋아하는 곡이야."

신노스케의 옆에 앉아서 아카네가 웃었다. "아······." 하고 중얼거린 신노스케는 아카네를 응시했다.

두 사람은 한동안 침묵했다. 두 번, 바람이 길가의 나무를 스쳐 지나갔다. 샛노란 잎이 한 장, 두 장, 세 장 아오이의 발밑에 떨어졌다.

신노스케가 아무 말 없이 하늘을 올려다본다. 수면에서 얼굴을 내밀어 산소를 마시듯이 숨을 크게 들이마셨다.

그의 왼손이 기타 넥을 잡았다. 그리고 연주가 들려오기 시작했다.

신노스케가 노래를 부른다.

아카네는 무릎에 팔꿈치를 괴고 그 노래에 귀를 기울였다.

목 안쪽에서 "윽." 하고 신음이 나올 정도로 낯 뜨거운 가사였다.

전혀 좋아하지 않았어
호러 영화와 캐러멜 맛 키스

그런 부끄러운 가사였다. 누구를 생각하며 부른 노래인
지, 누구를 위한 노래인지 알기 때문에 더더욱 부끄러웠다.
부끄러워서 가슴이 답답했다.

노래하는 신노스케 본인도 창피함을 견딜 수 없었던 모양
이다. 벌떡 일어나더니 갑자기 곡조를 바꿨다.

"니토베 단키치 풍!"

엔카 풍으로 가락을 넣으며 노래하기 시작한다.

공허한 마음의 함정
깜깜해서 앞이 보이지 않네

하고, 아카네를 보며 노래한다.

"아이참. 그게 뭐야. 제대로 불러 줘!"

아카네가 배를 잡고 웃기 시작했다.

"다음, 수학의 사이토 풍!"

또 곡조가 바뀐다. 수학의 사이토 풍이라니, 그게 누구
야? 게다가 끈적끈적해서 징그럽게 들리는 목소리였다. 하
지만 아카네는 웃음을 터트렸다. "배 아파."라고 하면서 무
릎을 치며 웃었다. 결국엔 눈물까지 나왔는지 안경을 벗어

손끝으로 눈가를 문질렀다.

13년간 멈춰 있었지만, 그전까지 쌓아 온 두 사람의 추억
이 신노스케의 노래를 타고 넘쳐 나왔다.

그랬다. 이런 모습은 그 무렵엔 당연했던 풍경이었다.

13년 전, 아카네를 따라 사당에 가면 신노는 늘 장난스러
운 노래로 아카네를 웃게 했다. 아오이가 모르는 선생님과
반 친구를 흉내 내며 노래했다. 잘 모르는 아오이도 그 모습
을 보는 것만으로 즐거웠다. 행복했었다.

아카네를 저렇게 웃게 하는 사람은 그 사람뿐이었다.

"아! 배가 찢어질 것 같아……. 이제 평범하게 불러……."

노래가 끝났다. 아카네는 배를 감싸 안은 채 숨을 껄떡대
며 그렇게 말했다.

"역시, 좋네."

아카네 옆에 다시 앉은 신노스케가 앞을 응시했다.

"너랑 있으면. 마음이 안정된다고 할까."

"응?"

"나 돌아올까?"

큰 목소리가 아니었는데도 아오이의 귀에 신노스케의 목
소리가 박혔다.

"지금 하는 일도 장래성이 있는 것도 아니고. 주변만 봐
도 다들 평범한 직장에 취직해서 결혼하더라. 나도 이제 슬
슬 그럴 나이가 됐나 봐."

안 돼.

안 돼, 안 돼, 안 돼.

그렇게 되면―― 하고 목소리가 나올 것 같았다.

신노스케가 돌아온다. 아카네와 다시 사귄다.

그러면 '신노'가 사라진다.

바닥에 떨어진 낙엽을 밟고 뛰쳐나갈 뻔했다. 지금 당장 두 사람 앞에 뛰어나가 어린애처럼 방방 구르며 "안 돼!" 하고 소리치고 싶었다.

그 충동을 억누르게 한 건 아카네의 목소리였다.

"뭐라는 거야."

아카네는 미소를 지은 채 신노스케를 바라보며 밝은 목소리로 말했다. 시들시들하던 꽃이 활짝 되살아나 하늘을 올려다보듯이.

"요즘 시대에 서른 안팎이면 아직 젊어. 안정을 찾기엔 아직 일러. 난 아직 포기하지 않았어. 다양한 것들을."

후훗 하고 웃으며 눈을 가늘게 뜨는 아카네에게 신노스케의 두 눈이 커진다.

"이제부터야."

아카네는 힘을 실어 말했다. "응, 이제부터 시작이지!" 하고 재차 고개를 끄덕이며.

행진하는 듯한 아카네의 말에 신노스케의 표정은 조금씩 굳어진다. 마침내 그 입술에서 "그런가."라는 목소리가 새어 나왔다.

"그럼그럼."

"그렇구나……. 응."

둘은 어느 쪽 할 것 없이 하늘을 올려다보았다. 우중충하다. 맑은 가을 하늘은 아니었다. 푸른 하늘은 보이지도 않았다. 하지만 분명 두 사람의 눈에는 화창하고 아름다운 하늘이었을 것이다.

기타를 어깨에 멘 신노스케가 계단을 내려왔다. 아카네가 그의 뒷모습을 눈으로 좇으며 조용히 몸을 일으켰다.

"가려고?"

"응. 슬슬 가야지."

계단을 내려온 신노스케는 잠시 그 자리에 멈춰 섰다. 천천히, 시간을 들여 아카네를 돌아보았다.

"안녕."

어색한 헤어짐의 인사를 꺼내고, 아카네에게서 멀어졌다. 뒤돌아보지 않고, 마른 낙엽을 밟으며 야외무대가 있는 방향으로 갔다.

안녕. 그 말의 의미를, 아오이는 바싹 마른입으로 되뇌었다. 그 속에 담긴 각오와 잔인한 의미를.

혼자 남은 아카네는 다시 계단에 걸터앉았다. 잠시 멍하니 눈앞의 경치를 바라보았다.

아카네의 어깨가 살짝 떨린다.

아카네가 고개를 숙인다.

아카네의 안경 렌즈에 물방울이 떨어졌다. 뚝, 뚝 두 방울. 멀리 있어도 알 수 있었다. 알고야 말았다.

아카네는 소리 없이 숨죽여 울었다. 부모님 장례식에서도 울지 않았던 아카네가 울었다. 항상, 어느 때건 부드러운 미소를 가면처럼 쓰고 다니던 아카네가.

아오이의 코끝에 빗방울이 뚝 떨어졌다.

4

저녁부터 비가 내리기 시작했다. 지붕과 빗물받이를 빗방울이 때리는 소리가 집 안에 가득 울릴 정도로 억수같이 쏟아졌다.

아오이는 거실 소파에서 뒹굴며 창문을 타고 흐르는 비를 바라보았다. 물방울이 투명한 창문 위를 쉴 새 없이 흘러내린다.

"언니는 그런 식으로 우는구나."

빗방울을 눈으로 좇으면서 자기도 모르게 그렇게 중얼거렸다.

몰랐다. 아카네가 우는 모습을 본 적이 없었으니까. 대체 언제부터일까. 언제부터 아카네는 울지 못하게 됐을까. 사실 생각하지 않아도 다 아는 사실이다.

왼쪽 뒤꿈치가 괜히 간지러워서 손가락으로 벅벅 긁었다. 벌레에 물린 자국 하나가 뒤꿈치에 볼록 튀어나와 있다. 바깥을 걸어 다닐 때 물린 걸까.

그래, 예를 들어 음악당 뒤편에서.

한 번 긁었더니 더 가려워져서 몸을 일으켰다.

"언니, 물파스 집어……."

평소 버릇처럼 아카네를 불렀다가 다시 입을 닫았다. 아카네는 아직 뮤즈 파크에서 돌아오지 않았다. 빗소리만 울리는 집 안에는 아오이 혼자뿐이다.

하는 수 없이 다리를 긁으면서 부엌으로 향했다. 서랍을 뒤져서 벌레 물린 데 바르는 약을 찾았다. 항상 아카네가 꺼내 줬기에 어디에 넣어 두는지 아오이는 정확히 모른다.

"아, 정말……."

발뒤꿈치를 벅벅 긁으며 평소에는 열지 않는 아래쪽 찬장을 열었다. 그 순간 벌레 물린 자리를 긁어 대던 아오이의 손이 딱 멈췄다.

노트가 있었다. 표지에는 아카네의 글씨로 【아오이 공략 노트】【3학년 B반 아이오이 아카네】라고 적혀 있었다. 아오이의 캐리커처까지 그려져 있다.

"공략이라니……."

혹시나 해서 노트를 넘겨 보았다.

【아오이가 싫어하는 것 21…… 대파 흰 뿌리 부분: 데쳐서 흐늘흐늘해진 것. 잘게 썬 파는 잘 먹는다!】

【딱딱한 우메보시는 잘 먹었다!】

【볶음밥에 지쿠와*를 넣었더니 좋아해 줬다!】

또 한 장을 넘겼다. 운동회에 가져갈 도시락 메뉴가 적혀 있었다. 아오이가 좋아하는 멘치카츠를 넣으려고 고등학생이었던 아카네가 시행착오를 되풀이한 내용이었다.

【멘치카츠, 실패. 보기엔 괜찮았는데 속은 덜 익었다…….
기름 온도 맞추기가 어렵다. 하지만 시꺼멓게 탔던 저번보단
나아졌다. 운동회까지 앞으로 일주일!】

아카네의 희로애락이 글자에서 전해져왔다.

멘치가 검게 타 버렸을 때의 슬픔, 덜 익었을 때의 분노, 실수 없이 튀겼을 때의 기쁨. 운동회 후기를 적은 페이지에는 【멘치, 아오이가 '맛있다'고 해 줬다! 성공!!】이라고 쓰여 있었다. 두 번 반복된 '!' 마크를 보니 활짝 웃는 아카네의 얼굴이 뇌리를 스쳤다.

요리뿐만이 아니었다. 아오이가 학교에 가져갈 걸레나 도구 주머니를 만들었다, 머리를 어떤 형태로 묶어 주면 좋아

---

* 원통형 어묵.

한다, 최근에는 이런 옷을 좋아하는 것 같다……. 아오이에 대한 내용만 가득했다. 질릴 정도로 아오이 얘기뿐이었다.

숨이 가빠져서 코를 훌쩍였다.

아카네가 만들어 주는 멘치를 좋아했다.

얇고 바삭바삭한 튀김옷 안에 고기와 큼직큼직하게 썬 양파가 속에 꽉 찬 동그란 멘치카츠. 특별한 조미료는 사용하지 않는다. 고기와 양파 맛이 달콤하고, 베어 먹으면 가운데에서부터 빛방울 같은 육즙이 흘러나온다. 따끈한 멘치에 소스를 뿌리지 않고 먹는 것을 특히 좋아했다. 아, 하지만 도시락에 들어간 식은 멘치도 좋아한다. 소스가 속까지 배어들어 촉촉해진 튀김옷도 정말 좋아한다.

어렸을 때 부엌에 몰래 들어가 아카네가 만든 멘치를 자주 집어먹었다. 막 튀긴 것을 먹었다가 「앗뜨뜨!」 하면서도 전부 먹었다. 그때가 제일 맛있었다.

「맛있어!」

아오이가 그렇게 말하면 아카네는 기쁜 얼굴을 했다. 「한가하면 너도 조금은 도와주지?」라고 하면서.

「왜~ 싫어! 튀김은 언니가 잘 만들잖아. 재료들도 잘하는 사람이 요리해 주는 걸 좋아할 거야!」

되바라지게 말대답하는 아오이에게 아카네는 화내지 않았다. 「하긴.」 하고 웃으며 기분 좋게 남은 멘치를 튀겨 준다.

"뭐가 민폐를 끼치고 싶지 않다야."

노트에 적힌 아카네의 글씨를 아오이는 손가락으로 쓸었다. 아카네가 시행착오를 반복한 흔적. 지금의 아오이와 같은 고등학생이었던 아카네가 노력한 증거.

아카네는 뭐든지 잘하는 사람이었다. 요리도, 청소도, 빨래도, 무엇이든 완벽했다. 완벽하게 보여 주었다. 보여 주고 있었을 뿐이다.

전부 아오이를 위해서.

"……난 뭘 하고 있는 거지."

빗발 소리에 맞춰 노트 위로 물방울이 떨어졌다. 아오이는 또 코를 훌쩍였다.

억수같이 쏟아지는 빗속을 헤치며 사당을 향해 달렸다. 물웅덩이에 떠 있던 낙엽을 차올리고, 흙탕물에 양말을 더럽히고, 젖은 손으로 우산 손잡이를 꽉 쥐며 달렸다.

사당 앞에서 우산을 내팽개치고 문을 열었다. 화들짝 놀란 신노가 이쪽을 획 돌아보았다. 바닥에서 엉덩이가 뜬 자세로 경직되었다.

"뭐, 뭐야. 아오였네."

가슴을 쓸어내린 신노가 바닥에 털썩 주저앉았다.

"암호 까먹었냐, 암호. 사람 놀라게……."

"난 신노가 좋아."

아오이는 신노의 말을 자르며 말했다.

그는 놀라지 않았다. 어째서일까. 어째서 놀라지 않을까. 오른손으로 눈구석을 누르며 "아……." 하고 신음했다.

"저기, 네 마음은 고마워. 그런데 있잖아, 잘 생각해 보라고. 난 생령이고."

"조용히 해!"

눈을 질끈 감은 채 소리쳤다. 알고 있다. 그렇게 말할 줄 알고 있었다.

"신노의 목소리는 상냥하단 말이야. 그런 목소리를 가진 사람은 꼭 이럴 때 위로랍시고 사람을 처량하게 만들어. 다들 그래!"

"뭐?"

빠르게 내뱉는 아오이의 말에 신노가 할 말을 잃은 것이 느껴졌다.

"위로가 아니라고 해도 신노의 목소리는 멋지고, 따뜻해서 왠지…… 가슴을 더 아프게 하니까 듣고 싶지 않아."

아오이는 턱을 당기고 자세를 고쳤다. 신노를 내려다보고 숨을 깊이 들이마셨다.

"일단은 내 마음, 전부 말하게 해 줘."

아오이의 말에 신노는 몸을 돌려 아오이와 정면으로 마주 보았다. 아무 말 없이 다음에 올 말을 기다려 주었다.

"난 신노를 좋아해. '신노스케'가 아니라 지금 여기에 있는 '신노'가 좋아."

빗소리가 들린다. 빗방울이 사당의 지붕과 나뭇가지와 이파리를 때리는 불규칙한 소리가 겹쳐지며 하나의 음악처럼 들려왔다. 아오이의 입에서 말들이 끌려 나왔다.

"계속 같이 있고 싶어. '신노스케'의 몸에 돌아가지 말고 지금 이대로 있었으면 좋겠어."

말을 이을 때마다 가슴이 욱신거리며 아팠다. 해서는 안 되는 말이었다. 원해서는 안 되는 일이었다.

하지만 신노는 화내지 않았다. "아오." 하고 진지한 목소리로 아오이의 이름을 불렀다.

"하지만……."

신노가 말을 꺼내기 전에 아오이는 억지로 말을 꺼냈다. 쌓일 대로 쌓인 속마음을 아랫배에서 토해냈다.

"하지만! 난 아카네 언니도 진짜 좋아해!"

안녕. 신노스케의 그 말에 아카네는 울었다.

울었다.

"언니는 '신노스케'를 아직 좋아해. 언니의 행복을 생각한다면……."

생각한다면 방법은 하나다. 하나뿐이다. 그 방법대로 하면 된다.

"하지만 그러면 신노가."

신노는 사라진다. 신노스케와 하나가 되어 아카네와 행복을 찾는다. 아오이는 양손에 얼굴을 묻고, 그 자리에 몸을 웅크렸다.

"이젠 어떻게 해야 할지 모르겠어. 신노, 어떻게 해야 해?"

신노는 아무 말도 하지 않았다. 몸을 웅크린 채 움직이지 않는 아오이에게 가만히 손을 뻗어 왔다.

분명 평소처럼 아오이의 머리를 상냥하게 쓰다듬어 주려는 것이다.

"만지지 마!"

신노가 움직임을 멈췄다. 혼이 난 강아지처럼 표정이 굳어졌다.

"만지면 더 좋아하게 된단 말이야!"

"그, 그럼 어떻게 하면 돼?"

"그것도 몰라!?"

"내가 어떻게 아냐!!"

반쯤 당황하고 반쯤 어이없어하는 기색으로 신노가 바닥에서 일어서며 소리쳤다. 아오이도 덩달아 일어났다.

"그럼 됐어!"

아오이는 발걸음을 돌려 사당을 뛰쳐나왔다. 신노가 "기다려!" 하고 소리쳤다. 아오이의 이름을 부른다. 부르지 마. 그 목소리로 내 이름을 부르지 마. '아오'라고 소리치지 마. 마음속으로 그에게 고함쳤다.

신발을 신고 우산을 주워 그대로 달렸다.

"기다리라니까!"

물웅덩이의 물이 튀며 장딴지 부근을 때리며 적셨다. 상관없었다. 신노에게서 벗어나지 않으면, 벗어나지 않으면 ──자신이 이상해질 것 같았다.

하지만.

"부탁이야!"

빗소리를 날카롭게 가르듯이 귓속에 꽂힌 신노의 애원에 아오이는 무심코 발을 멈췄다.

뒤돌아보니 사당 입구에 신노가 찰싹 달라붙어 있었다.

"부탁이니까 가지 마. 난 널 못 따라가!"

나오지 못하는 걸 알면서도 양손으로 보이지 않는 벽을 온 힘을 다해 민다. 두드린다. 이마를 박는다.

"널 쫓아가고 싶어도 안 돼. 여기서 보고 있을 수밖에 없다고."

주워 든 우산 손잡이를 꽉 쥐었다. 빗물이 뺨을 타고 흘러내린다.

"나도 본체에 돌아가면 어떻게 될지 알 수 없어. 하지만 이렇게 어린애처럼 울고 있는 널 보고 있을 수밖에 없는 건……."

"안 울어."

뺨을 닦으며 아오이는 대답했다.

"우는 거 아니야. 빗물이야."

얼굴을 벅벅 닦은 후 아오이는 달리기 시작했다.

신노는 더 이상 아무 말도 하지 않았다.

하룻밤이 지나고, 어제의 장대비가 거짓말 같은 쾌청한 날씨였다. 오늘 아침 일기 예보에서는 행사 당일인 내일도 날씨는 맑을 거라고 했다. 야외무대의 장식도 착착 걸리고, 포장마차 텐트도 설치되기 시작했다.

아오이가 음악당에 도착하니 치카가 현관홀 벤치에 앉아 스마트폰을 만지고 있었다. 평소처럼 아오이에게 "안녕~." 하고 인사했다.

베이스 케이스의 손잡이를 쥔 아오이는 천천히 눈을 내리떴다. 어제 일을 떠올리고, 잠깐 고민했다. 조금 부끄러워졌지만 다시 치카를 보았다.

"안녕."

툭 내뱉듯이 인사하고, 그녀에게 다가갔다.

"저기, 어제는, 미안했어."

머리를 숙이자, 치카가 "응!?" 하고 눈을 동그랗게 떴다.

"네가 사과할 일이 뭐 있어? 나도 너 귀찮게 따라다녔잖아~."

"하지만."

그렇게 말을 꺼냈을 때 현관홀에서 남성의 고함이 울렸다. 홀 천장과 복도에 되울린 탓에 더 크게 들렸다.

"없어!"

니토베의 목소리였다. 과연 거물급 엔카 가수다. 성량부터가 남달랐다. 바닥이 흔들리는 줄 알았다.

"없어～!"

고함은 멈추지 않았다. 오히려 점점 더 커지기만 했다.

치카와 얼굴을 마주 보고, 목소리가 들린 쪽으로 가 보았다. 분장실을 엿보았더니 니토베가 자기 짐을 뒤집어엎고 있었다. 커다란 여행용 가방에서 고급스러운 전통복이 비어져 나와 있다.

이 광경만으로 뭔가 일이 벌어졌음을 예상할 수 있었다.

"선생님, 뭐가 없습니까?"

분장실에 도시락을 가져온 마사미치가 물었다. 백업 밴드 멤버들도, 마사미치와 함께 도시락을 들고 온 아카네도, 모두가 니토베를 바라보았다. 신노스케의 모습만 분장실에 없었다.

현관홀 쪽에서 "무슨 일이야?" 하고 마사츠구도 다가왔다. 아카네와 치카는 아무 말도 못 하고 니토베를 가리켰다.

"펜던트! 내가 항상 걸고 다니는 펜던트가 없소!"

정신없이 주위를 둘러보며 니토베가 머리를 싸맸다.

"펜던트라면, 아아, 그 촌스러운 거?"

치카가 말했다. 아오이도 "아……." 하고 탄식했다. 니토베가 항상 목에 걸고 다니던 삐까뻔쩍한 펜던트를 떠올렸다. 세상이 무너진 듯한 표정이기에 대체 뭐가 없어졌나 했더니 펜던트라니.

"그건 나의 원기옥이오."

여행용 가방을 덮으며 니토베가 주먹을 꽉 쥐었다.

"여러 장소에서 여러 사람으로부터 받은 기운을 담아둔 걸세. 그것 없이는 그 지역의 정신을 노래할 수 없어. 엔카의 마음을 부를 수 없단 말이야!"

같은 이유로 시청 예산으로 먹고 마시며 관광지를 돌아다니지 않았었나. 아카네를 힐끗 쳐다보니 아니나 다를까 어처구니없어하는 얼굴로 웃고 있었다.

"그런 대사를 전에도 들은 적이……."

그렇게 중얼거린 아카네와 눈이 마주쳐 버렸다. 깜짝 놀란 아오이는 시선을 피했다. 마침 니토베의 매니저가 분장실로 달려왔다.

"선생님, 역시 차에도 없어요."

니토베가 세상이 무너진 듯한 표정으로 "하!" 하고 천장을 올려다보았다. 위기가 닥쳐도 호들갑스러운 리액션이 빠지지 않는 사람이다.

"우선 마지막으로 본 게 언제예요?"

트롬본 담당이 니토베에게 물었다. 매니저가 "아참……." 하고 스마트폰을 꺼내었다. 아무래도 시내를 돌 때 찍은 사진을 착실히 남겨 뒀던 모양이다.

아오이와 치카와 마사미치도 여기저기서 신나게 마시며

먹는 니토베 일행의 사진을 들여다보았다.

"아, 와도(和銅) 유적이다."

치카가 말했다. 시내에 있는, 아주 옛날에 사용된 통화가 발굴된 자리다. 와도카이친*을 본뜬 대형 기념물 앞에서 아리따운 여성을 좌우에 낀 니토베가 사진에 찍혀 있다. 목에는 펜던트를 걸고 있었다. 자세히 보니 니토베의 양옆에 있는 건 얼마 전 홀에 들이닥쳤던 호스티스들이었다.

"여긴 미츠미네 신사인가?"

아카네가 스마트폰에 나열한 사진을 가리켰다. 인기 관광지로 유명한 오래된 신사다. 사당 앞에서 호스티스들에게 둘러싸인 니토베의 가슴에는 역시나 펜던트가 있었다.

"참 신나게 즐기셨네. 여자랑 어깨동무한 사진이 많고."

마사츠구가 질린 얼굴로 중얼거렸다. "하하하! 이것이 바로 그 지역인과의 교류가 아니겠나!" 하고 니토베가 웃어넘겼다. 확실히 이 지역 사람이긴 하지만…… 전부 호스티스잖아, 라는 말은 가슴에 묻어뒀다.

"여기서부터 어제 찍은 사진이에요."

매니저가 스마트폰 사진을 쑥쑥 스크롤하며 넘겼다.

"아!"

갑자기 아카네가 소리를 지르며 스마트폰을 가리켰다.

"이거, 여기서부터 펜던트가 없어요."

---

* 와도카이친(和同開珎): 일본 최초의 유통 화폐.

어제는 비가 내렸는데도 그 와중에 니토베는 안야가와(安谷川) 계곡에 하이킹을 하러 갔던 모양이다. 단풍 든 나무에 둘러싸여서 홍수로 불어난 강을 배경으로 포즈를 취한 니토베의 가슴에 펜던트가 없었다.

전후 사진을 확인했다. 펜던트를 건 니토베가 마지막으로 찍힌 장소는 오래된 터널 앞이었다.

"아, 이 터널! 운치 있지 않소? 울타리가 쳐져 있기에 요렇게 사알짝 넘어서."

흥이 나서 설명하기 시작한 니토베의 말 도중에 치카와 아카네가 "그거다!" 하고 얼굴을 마주 보았다.

"아, 거기로구먼! 하긴 서바이벌하는 착각이 들 정도였지. 거기에서 떨어뜨렸나 보구려."

니토베는 부끄러워하는 기색조차 없다. 마치 자신이 알아낸 것처럼 "이 터널이 틀림없소이다!" 하고 너털웃음을 터트렸다.

"그럼 제가 찾으러 갈게요."

터널 사진을 확인한 아카네가 말했다. 마사미치가 "왜!" 하고 소리쳤다.

"선생님은 리허설 준비하고 계세요."

아카네가 분장실을 나갔다. 니토베는 금세 마음을 고쳐먹었는지 "우리는 우리가 할 일을 합시다! 쉬고 있을 시간이 없소!" 하고 리허설 준비를 시작했다. 이만큼 '네가 할 말이냐'라는 상황도 없겠구나 싶었다.

"아, 아카네. 조심해!"

마사미치가 그렇게 말을 걸었다. 잠시 고민하던 아오이도 아카네를 쫓아 분장실을 나왔다.

건물 뒤편에 있는 주차장에 아카네의 짐니가 정차해 있다. 차 앞에서 아카네는 스마트폰으로 내비게이션을 설정하고 있었다.

"언니!"

아오이는 망설이면서도 아카네에게 달려갔다.

"아오이? 왜 나왔어?"

그렇게 불러 놓고 막상 다음 말이 나오지 않았다. 하고 싶은 말도, 해야 할 말도 정말 많은데.

"그냥."

아오이는 어색하게 고개를 가로저었다.

"조심히 다녀와."

겨우 그 말을 꺼내자 아카네는 "응." 하고 고개를 끄덕였다.

"너도 리허설 잘해."

그렇게 말하고, 아카네는 짐니에 올라탔다. 짐니는 여기저기 물웅덩이가 생긴 주차장을 벗어나 눈 깜짝할 사이에 보이지 않았다.

대체 뭐 하려고 쫓아왔담, 하고 생각하며 아오이는 분장실로 돌아갔다.

리허설은 오전부터 시작하여 점심때가 지나서야 휴식에 들어갔다. 첫 야외무대 연습이었지만 신노스케는 휴식 시간이 되어도 모습을 드러내지 않았다. 니토베와 백업 밴드 멤버들이 "신노스케라면 리허설 없이도 잘해."라고 말하는 걸 보면 그의 실력을 믿고 있는 듯했다.

"저기, 아까 흔들리지 않았어?"

무대를 내려온 아오이에게 스마트폰을 한 손에 쥔 치카가 물었다. "분명 지진이었어." 하고.

"그랬나?"

"진짜야, 진짜 흔들렸다니까!"

연주에 몰입하느라 전혀 느끼지 못했다. 객석 쪽에서 다가온 마사츠구에게 치카가 똑같이 물었지만, 마사츠구도 "그랬나?"라며 고개를 갸우뚱했다.

"음, 아직 속보는 없네."

스마트폰을 만지작거리는 치카와 마사츠구와 함께 음악당으로 향했다. 니토베의 분장실에 도시락이 준비되어 있을 터이다.

"네!?"

현관홀의 자동문이 열린 순간, 마사미치의 목소리가 날아와 엉겁결에 발을 멈추었다. 현관홀 구석에서 마사미치가 전화를 받고 있었다.

"네, 알겠습니다. 그럼."

전화를 끊은 마사미치에게 치카가 "무슨 일이에요?"라고 말을 걸었다.

"히노(日野) 지역 쪽에 산사태가 있었대. 관광과에서 경고문을 내야 하니까 일단 시청에 돌아오라네."

"산사태?"

"산속에서 일어난 거라 아직 보고된 피해는 없는 것 같아."

그 말을 들은 치카가 "거봐, 아까 지진 맞다니까!" 하고 아오이와 마사츠구를 보았다.

"어제 비가 꽤 내리긴 했지."

고개를 끄덕이는 마사츠구를 곁눈질하면서 아오이는 마사미치의 설명을 입안에서 되뇌었다.

"히노, 산사태."

뇌리에 뭉게뭉게 떠오른 단어가 하나로 이어지며 아카네의 얼굴이 되었다. 쿵! 하고 등 뒤를 세게 떠밀린 듯한 충격이 아오이의 몸에 일었다.

"저기, 히노라면…… 히노라면 아카네 언니가 간 터널이 있는 곳이잖아!"

세 사람이 일제히 아오이를 보았다. "앗!" 하고 소리친 마사미치의 얼굴빛이 창백해졌다.

"어, 언니는!"

언니는, 언니는. 멍하니 같은 말을 되풀이하는 아오이를, 마사츠구가 "아오 누나!" 하고 불렀다.

"진정해. 일단 연락부터 해 보자."

시키는 대로 주머니에서 스마트폰을 꺼냈다. 아카네에게 전화를 걸었다.

하지만 곧바로 '뚜…… 뚜……' 하는 전자음이 들려왔다. 신호조차 가지 않았다. 전파가 닿지 않는 건가, 전원이 끊어진 건가, 아니면…….

아니면.

"안 돼! 연결이 안 돼!"

아오이는 스마트폰을 귀에 댄 채 머리카락을 쥐어뜯었다. 치카가 평소의 그녀라면 전혀 상상할 수 없는 걱정 가득한 목소리로 아오이의 이름을 불렀다.

"어쨌거나 난 시청에 다녀올게! 뭔가 알게 되는 즉시 연락할 테니까 여기서 기다려!"

마사미치가 현관홀을 나갔다. 뒤늦게 온 니토베 일행에게도 사정을 설명하고, 이쪽을 돌아보았다.

"츠구, 뒤를 부탁해!"

마사미치의 말에 마사츠구가 천천히 고개를 끄덕였다.

아오이는 자신의 스마트폰을 노려보았다. 【아카네 언니】라고 표시된 아카네의 전화번호가 파르르 떨린다.

"아오 누나……."

마사츠구가 아오이의 얼굴을 들여다보았다. 그걸 무시하고, 아오이는 밖으로 나갔다.

"잠깐, 아오이?"

"아오 누나!"

아오이는 치카와 마사츠구의 목소리에 튕겨 나가듯이 달리기 시작했다.

음악당을 뛰쳐나가자 마사미치가 전화 통화를 하며 걸어가고 있었다. 그 옆을 앞질러 달렸다.

"아오! 어디 가!"

거기 서! 라는 마사미치의 제지를 뿌리치고, 아오이는 달렸다.

싫어.

죽어도 싫어.

소중한 사람을 잃는 건 두 번 다시 겪고 싶지 않아.

달리지 않으면, 뭐라도 하지 않으면 울부짖을 것 같았다. 그래서 아오이는 멈추지 않았다.

어제 내린 비 때문에 오랜만에 오는 길이 질퍽질퍽했다.

돌계단을 오르고, 허리를 구부려 작은 기둥문을 지나고, 진흙과 낙엽 조각에 손톱 끝이 더러워져도 신노스케는 걸음을 멈추지 않았다. 나무 이파리에 남아 있던 빗방울이 햇빛을 받아 반짝거린다. 걸을수록 빛나는 그것들이 점점 더 눈부시게 느껴졌다.

빗방울 때문이 아니다. 이곳은 아무리 시간이 흘러도 자신에게는 눈부신 장소다.

숲을 넘어가자 낡은 사당이 나타났다. 걸음을 멈춘 신노스케는 손에 든 사진을 바라보았다.

사당 입구에서 찍은 사진이다. 신노스케와 아카네, 아오이, 마사미치, 아보, 반바. 어린 아오이가 신노스케와 아카네의 팔을 껴안고 웃고 있다.

사진 속의 신노스케가 상상했던 미래의 자신은 이렇지 않았다. 그래서 이곳에는 절대 오고 싶지 않았다.

그런데 오고 말았다.

사진을 든 손에 자연스레 힘이 들어갔다. 고개를 들자, 신노스케의 기억보다 조금 더 낡은 사당이, 비에 젖은 그립고도 소중한 장소가 빛 알갱이에 감싸여 있었다. 구름의 움직임에 맞춰 빛이 표정을 바꾼다.

그때 아무도 없어야 할 사당 문이 스르륵 열렸다.

"으음!"

차이나 칼라 교복을 입은 남학생이 그 자리에서 크게 기지개를 켠다. 온몸의 근육을 풀어 주듯이 팔짱을 끼고 몇 번이고 몸을 늘린다.

"……응?"

팔을 풀던 그가 신노스케를 발견했다.

그는 신노스케가 손에 쥔 사진 속의 카나무로 신노스케와 판박이였다.

"……어?"

완전히 똑같은 두 목소리가 완벽하게 겹쳐졌다.

근처 나무에서 새가 날아올랐다. 날갯짓 소리와 새된 새 울음소리가 자신들의 머리 위를 통과한다.

"아하."

교복을 입은 카나무로 신노스케가 침착하게 고개를 아래 위로 끄덕였다.

"아카네 스페셜을 가지러 왔냐?"

"……어떻게."

어떻게 그 이름을 알고 있지.

"아르바이트해서 모은 돈으로 아카네랑 사러 간 보물이 잖아. 몇 년이나 내팽개쳐 놓은 것 같지만."

비꼬는 듯한 말투에 눈썹이 꿈틀 하고 떨었다.

아아, 나다. 저 녀석은 고등학생 때의 나다. '신노'라고 불리며 장대하고 자만심에 가득 찬 꿈을 꿨을 때의 나다.

짜증과 함께 신노스케는 확신했다. 이런 터무니없는 일이 생길 리 없다며 당황하고 있다. 하지만 그럼에도 똑똑히 느꼈다.

"촌스럽긴. 꿈을 이루지 못했다고 자포자기로 사냐?"

그 무렵 자신의 집념과 집착, 그런 감정이 가장 강하게 남은 곳이 분명 이곳이니까.

"어린놈이 뭘 알아."

"알고 싶지도 않네요. 추잡한 아저씨 심정 따위."

그렇다. 저 무렵의 나라면 그렇게 생각했으리라.

사회가 얼마나 냉혹한지, 현실이 얼마나 무정한지도 알지 못했다. 뭐든지 자신의 힘으로 이겨낼 수 있을 거라 믿어 의심치 않던 그 시절의 자신이라면 그렇게 생각하리라.

네 생각만큼 사회와 현실은 만만하지 않아. 넌 그걸 모른다.

짜증이 일었다. 화가 났다. 다 아는 듯한 저 얼굴을 지금 이 자리에서 후려갈기고 싶다.

하지만 그런 녀석이 미치도록 부러웠다.

입술을 꾹 다문 신노스케의 귓가에 발소리가 다가오는 것이 들렸다. 당장에라도 넘어져 구를 듯한 성급한 발소리였다. 비명 같기도, 흐느낌 같기도 한 숨결이 조금씩 커졌다.

숲속 비탈길을 아오이가 달려서 올라왔다.

"신노!"

아오이가 부른 건 틀림없이 저쪽이다.

사당 입구에 선 고등학생 모습의 자신을 올려다보며, 신노스케는 그렇게 생각했다.

제4장

1

"신, 노스케…… 씨?"

진흙에 미끄러져 휘청거리며 아오이는 멍하니 중얼거렸다. 신노와 신노스케가 눈앞에서 대치하고 있다.

"어째서?"

가쁜 숨을 쉬며 두 사람을 번갈아 보았다.

"아오이. 무슨 일 있어?"

신노가 물었다. 정신을 차린 아오이는 두 사람 곁으로 달려왔다.

"아카네 언니가!"

신노와 신노스케가 몸을 불쑥 내밀며 아오이를 보았다.

아오이는 숨을 고를 새도 없이 산사태가 일어났음을, 그 현장에 아카네가 갔고, 아카네와 연락이 되지 않는다는 것을 간신히 설명했다.

"아직, 아직 언니가 산사태에 휘말렸는지 확실치 않지

만…… 지금 마사미치가 알아보러 갔는데."

아직 마사미치의 연락은 없다.

"아무 일 없겠지만, 아직 연락도 안 되고, 이상하게 여기에 꺼림칙한 느낌이 들어서."

자신의 가슴에 손을 가져다 댔다. 아까부터 가슴 언저리에서 차갑고 좋지 않은 예감이 들었다. 문을 격하게 두드리는 듯한 불길한 소리가 끊임없이 들려온다.

"괜찮을 거라 생각하는데……!"

아오이는 다른 누구보다도 자신을 달래기 위해 소리쳤다.

"난 또, 깜짝 놀랐네. 그럼 일단 마사미치의 연락을 기다리면 되나."

야단스럽게 동요하는 아오이의 모습에 어이없어하며, 그러면서도 약간 안심한 표정으로 신노스케가 목덜미를 긁었다.

"안심하고 있을 때냐?"

그런 신노스케에게 신노가 날카롭게 쏘아붙였다.

"뭐?"

"뭘 그렇게 멀뚱멀뚱 서 있냐고!"

신노가 더 크게 소리쳤다. 하얀 침방울이 튀어 발밑까지 날아왔다.

"얼른 아카네 찾아와! 왜 두 손 놓고 있어?"

"그러니까 지금 내가 가 봤자……."

"네가!"

신노스케에게 덤비려던 신노가 사당의 보이지 않는 벽에 부딪혔다. 신노스케가 눈을 크게 뜨고 뒷걸음질 쳤다.

"네가 안 가면 어쩌자는 거야!"

신노가 벽에 박은 이마를 손으로 누르며 신노스케를 노려보았다.

"실망시키지 마라. 대단한 뮤지션이 되어서 아카네를 빼앗으러 오겠다며!"

신노의 목소리가 피를 흘리는 것처럼 들렸다.

큰 미래를 꿈꿨던 고등학생 신노가 그 미래를 계획대로 이루지 못한 신노스케 앞에서 상처받고 흐트러진다.

"네 꿈이 백업 밴드였냐? 그것도 엔카? 웃기지도 않네!"

"닥쳐."

신노스케가 나지막이 말했다. 신노는 입을 멈추지 않았다.

"꼴사나워, 꼴사나워, 꼴사나워! 오물에 머리를 처박은 기분이야. 미래에 너 같은 놈이 된다니!"

신노스케가 신노에게 다가간다. 사당의 계단이 삐걱거리며 소리를 낸다.

칼끝처럼 날카로운 시선을 신노에게 찔러 넣었다.

"닥치라고!"

신노스케가 신노의 멱살을 잡았다.

"그만해!"

아오이의 외침은 신노스케의 노성에 묻혔다.

"난 말이야! 내 나름대로 노력했어! 매일!"

같은 목소리인데도 신노스케의 목소리는 어딘가 생기가 없고, 지쳐 있다. 현실에 몇 번이고 시달리고 치이며 살아왔구나, 하고 아오이는 새삼스레 깨달았다.

그런 신노스케의 팔목을 붙잡고, 신노가 소리쳤다.

"그래, 기타 실력만 쓸데없이 늘었더라. 그 정도 치면 어디서든 밥 먹고 살겠네!"

신노스케의 주머니에서 사진 한 장이 계단 위로 떨어졌다. 신노와 아카네, 아오이, 마사미치, 반바와 아보. 여섯 사람이 이 장소에서 웃고 있는 사진.

그렇구나. 신노스케는 계속 이것을 품에 안고 살아왔구나.

"이 세계는 연줄과 운이 전부야! 잘한다고 다 성공하는 게 아니야. 알지도 못하는 꼬맹이가."

"그래. 난 아무것도 모른다!!"

신노스케의 팔을 세게 틀어쥔 신노가 내뱉었다.

"난 여기서 나가지 못했으니까."

순간적으로 아오이는 사당 안을 보았다. 13년 전, 신노가 놓고 간 아카네 스페셜이 그곳에 있다.

"신노……."

신노는 아카네 스페셜과 함께 꿈에 불타오르던 자신을 이곳에 두고 간 것일지도 모른다. 꿈이라고 하기엔 무거운, 저주와 같은 것을 짊어지고 도쿄로 떠난 것인지도 모른다.

눈을 내리뜬 신노가 쥐어짜듯이 말을 이었다.

"그날 도쿄에 가지 않겠다는 아카네의 말을 듣고 큰 충격을 받았어. 도쿄에 가서 밴드를 만들고, 라이브를 하고, 데뷔해서 매일 즐겁게 사는 것. 그것이 내 꿈이었지만."

눈을 부릅뜨며 고개를 치켜든 신노의 얼굴에 신노스케가 움찔했다.

"하지만 그건 전부 아카네가 곁에 있다는 것이 전제였어."

그래서 신노는 '대단한 뮤지션이 되어서 아카네를 데리러 오겠다'라고 맹세했다. 자신에게 주술을 걸었다. 몇 년이 걸릴지 모른다. 도쿄에 가서 성공하리란 보증도 전혀 없다. 그런데도 시간은 멈추지 않는다. 하루 24시간, 1년 365일. 인간은 착실히 나이를 먹어 간다. 그 와중에 숨이 차고 다리가 접질리고 더는 달리지 못한다는 걸 알아도 쳇바퀴 돌듯 달릴 수밖에 없다.

"그때 난 마음속 어딘가에서 어디에도 가고 싶지 않다, 계속 이대로 있고 싶다, 그런 생각을 했어."

신노는 미래의 자신을 똑바로 응시했다. 자신이 이 신노스케에게는 저주 그 자체일지도 모른다.

"하지만 넌 이곳을 나갔어. 제대로 앞으로 나아가고 있잖아!"

신노도 신노스케의 멱살을 틀어쥐었다.

"납득이 가게 해 줘. 난 너지? 그럼 날 납득시켜. 이래저래 잘 안 되는 일도 많겠지만."

컵에 가득 채운 물이 파르르 떨며 넘쳐흐르듯이 신노의 목소리가 점차 울먹이기 시작했다.

"그래도 미래에 네가 되어도 괜찮겠구나, 그렇게 생각할 수 있게 해 줘!"

신노가 어깨를 들썩이며 숨을 몰아쉬었다. 숨을 마시고 뱉는 소리가 사당 주변에 울려 퍼졌다. 멱살 쥔 신노의 주먹이 파르르 떨리는 것을 아오이는 보고 있기가 힘들었다.

"난."

입을 한일자로 꽉 다물고 있던 신노스케가 나직이 중얼거린다. 그다음 말은 이어지지 않았다. 신노는 초조한 것처럼 신노스케에서 손을 뗐다.

"그만 됐다."

신노스케를 냅다 밀치고, 신노는 아무것도 없는 사당 입구에 머리를 박았다.

쿵! 하고 둔탁한 소리가 났다. 아오이는 "신노!" 하고 몸을 움츠렸다. 하지만 신노는 멈추지 않았다. 양다리로 힘껏 버티고, 양손으로 보이지 않는 벽을 밀었다. 그곳에서 나가려고 몸부림쳤다.

"뭐 하는 거야."

엉덩방아를 찧은 신노스케가 멍하니 그 모습을 올려다보았다.

"내가 갈 거야! 넌 거기서 평생 손가락이나 빨고 있어라!"

신노의 다리가 사당 바닥에 밀려 나간다. 신노만 가두는 보이지 않는 벽은 꿈쩍도 하지 않았다. 그래도 나가려고 몸부림치는 신노의 모습에 아오이는 무의식적으로 "왜."라고 중얼거렸다.

"난 멈춘 상태지만."

악다문 이 사이로 신노가 말했다.

"아카네를 생각하는 이 마음은 현재진행형이다! 이것만큼은 너한테 지지 않아!"

아오이는 가슴 앞에서 쥔 손을 천천히 풀었다.

계단을 뛰어올라 신노의 손을 잡았다.

"아오?"

"나도 지지 않아!"

젖 먹던 힘을 다해 신노의 손을 잡아당겼다.

"언니를 생각하는 마음!"

계단 턱에 다리를 걸고 온 힘을 다해 당겼다. 낡은 계단이 삐걱거리며 흔들렸다.

몸을 일으킨 신노스케가 멍하니 두 사람을 바라보았다. 그들 뒤로 의자에 기댄 아카네 스페셜이 보였다. 기타 줄이 떨고 있는 것 같았다. 줄 뿐만 아니라 보디 자체가 덜커덕거리며 흔들리기 시작했다.

분노를 몸속에 가두려는 듯이.

한심함과 서글픔을 견디려는 듯이.

넘쳐흐르려는 눈물을 억지로 참으려는 듯이.

그래도 문을 억지로 열려고 몸부림치듯이.

계속해서 덜컥덜컥 떨었다. 그 소리는 점차 커졌다.

"아오. 만지지 말라더니?"

웃는 신노의 이마에서 땀 한 줄기가 흘러내렸다. 이를 악물 아오이는 고개를 치켜들고 양손에 힘을 더욱 실었다.

"시끄러워!"

그렇게 소리친 순간, 소리가 들렸다. 아, 이 소리. 알고 있다. 기타 줄이 튕기는 소리다. 팽팽한 줄이 끊어지고, 날카로운 소리가 아오이의 몸을 관통한다.

정신을 차렸을 땐 하늘을 날고 있었다.

쾌청한 파란 하늘을 올려다보는 자세로 천천히, 천천히 아래로 떨어진다.

자신의 손이 신노의 손을 잡고 있었다. 신노의 검은색 교복과 밝은 머리카락이 파란 하늘에 반짝였다.

시야 끝에 신노의 기타, 아카네 스페셜을 발견했다. 자신들과 마찬가지로 기타도 하늘을 날고 있었다. 마치 신노를 사당 밖으로 밀어내듯이.

지면에 등을 부딪쳤다. "아야!" 하고 비명을 지르며 아오이는 뒤통수를 양손으로 꾹 눌렀다.

그런 아오이의 눈앞에 누군가가 손을 내밀었다. 자신에게 베이스를 가르쳐 준 손이었다.

"괜찮아?"

신노가 자신에게 손을 내밀고 있다. 고개를 끄덕이고 그 손을 잡자, 획 하고 몸이 일으켜 세워졌다.

"뭐야."

신노스케가 자신들과 사당 안을 번갈아 보았다.

아까까지 의자 위에 있었던 아카네 스페셜은 바닥에 떨어져 있었다. 끊어진 줄이 마치 손을 내밀 듯 신노스케를 향해 뻗어 있다.

신노스케와 다르게 신노는 모든 것을 깨달은 표정을 짓고 있었다.

"그럼 우린 갈 건데, 아저씬 어쩔래?"

신노가 옷에 묻은 흙을 탁탁 털며 신노스케를 정면으로 바라보았다.

"어, 어쩔 거냐니……."

신노는 신노스케의 대답을 기다리지 않았다. 아오이의 손을 잡는가 싶더니 힘차게 달리기 시작했다.

"가자! 아오!"

그렇게 해서, 당황하는 아오이의 목소리를 공중에 날려 버렸다.

"신노! 너무 빨라!"

아오이가 발이 걸려 휘청거리든 비명을 지르든 신노는 아랑곳없이 계속 달렸다. 엄청난 속도에 몸이 붕 뜨는 듯한 감각이 들었다.

"아직 멀었어!"

숨을 크게 들이마신 신노가 다리에 힘을 꾹 주었다. 목소리가 꼬리를 끌며 나무 사이로 메아리친다.

그 순간 정말 몸이 떠올랐다. 중력에서 벗어난 몸이 구름처럼 가벼워졌다. 신노가 지면을 박찬 순간, 두 사람은 중력을 거슬러 공중을 날았다.

숲을 지나 기둥문을 향해 일직선으로 날아갔다. 답답함, 소외감, 후회. 아오이가 이 마을에서 느꼈던 온갖 감정을 가르고, 찢으며 날았다.

날아갔다.

"꺄아아아아아아아아아악!"

나무 사이를 돌파하며 나뭇가지와 이파리 끝에 남은 빗방울에 뺨이 젖었다. 차가운 물방울에 아오이는 비명을 집어삼켰다.

기둥문 위에 착지하는 줄 알았더니 신노는 또다시 크게 점프했다. 하늘 높이 날아 흠뻑 젖은 밭 위에 착지했다. 검붉은 진흙이 튀어 아오이의 장딴지를 더럽혔다.

"기다려, 아카네!"

아오이는 신노가 가는 대로 힘없이 끌려갔다. 중력의 방

해 없이 아카네가 있는 곳으로 달려가는 신노의 팔을 악착같이 움켜잡았다.

미쳤다. 정말 이놈은 미쳤다. 생령인 것만으로도 충분히 이상하지만, 구속하는 것이 사라진 신노를 막을 것은 아무것도 없었다.

"굉장하다! 이거 어떻게 된 거야?"

전선보다 더 높이 뛰어오른 신노가 눈 아래 펼쳐진 경치를 흥분하며 바라본다. 신노조차 자신의 힘을 이해하지 못한 모양이다. 떨어지기라도 하면 최소 사망이다. 양팔로 신노의 팔에 꼭 매달린 아오이는 "내가 묻고 싶은 말이야!" 하고 소리쳤다.

돌풍이 불어 눈을 질끈 감았다.

바람에 휩쓸려 날아갔다. 뱅글뱅글 몸이 회전한다. 이따금 중력에 휘둘려 비명을 내질렀다.

살그머니 눈을 뜬 아오이는 숨을 삼켰다. 바람에 휩쓸려 올라간 탓에 믿을 수 없을 만큼 높은 곳까지 올라와 있었다. 바로 아래에 좁은 아라카와강이 보였다. 강을 잇는 몇 개의 다리가 마치 장난감 크기로 보였다.

그중에 하나, 새빨간 토모에가와(巴川) 다리로 목표를 정한 듯 신노는 하강하기 시작했다.

"나 그 사진을 보고 많은 걸 알아 버렸어."

토모에가와 다리의 빨간 아치에 착지한 신노가 앞을 응시했다. 아카네가 있을 방향을 바라보며 한 마디씩 곱씹듯이 말을 이었다.

"그 녀석은 자신을 가두는 방법으로밖에 앞으로 나아가지 못했던 그때를 다시 한번 마주 보려고 한 게 아닐까. 내 안에도 있는 이 마음을 후회하지 않게. 그래서 난 거기에 있었던 거야."

신노는 아오이의 손을 잡고 다리에서 뛰어내렸다. 아라카와강 수면을 어루만지듯이 뛰어서 다시 바람을 타고 하늘 높이 날았다.

신노가 나머지 한 손도 뻗어왔다. 아오이는 망설이지 않고 그의 손을 잡았다.

"후회, 나도 알아."

구름에 닿을 듯한 높이에서 바람을 타고 두 사람은 천천히 내려왔다.

"좋아하는 사람의 마음을 응원하지 않으면 평생 후회한다는 걸. 아카네 언니를 응원하지 않았기 때문에 알아."

좋아하기 때문에 계속 괴로운 것이란 걸 안다.

낮고 격한 바람 소리가 아오이의 귀를 막았다. 하지만 자신의 목소리는 똑똑히 들렸다. 태어났을 때부터 계속 함께였던 자신의 목소리를 제대로 듣는 것이, 자신의 목소리에 귀를 기울이는 것이 얼마나 어려운지를.

"그래서 난 신노와 신노스케를 응원할 거야."

자신은 지금 어떤 얼굴을 하고 있을까.

웃고 있을까.

웃고 있지 않더라도 최소한 이 결의가 제대로 전해지길
바랐다.

아오이를 빤히 바라보던 신노가 팔을 홱 잡아끌었다. 아
오이의 몸을 끌어당겼다. 그대로 후 하고 아오이의 이마에
바람을 뿜었다.

"뭐……!"

신노를 잡고 있던 손을 놓고 양손으로 이마를 가렸다.

뭐 하는 거야! 하고 말하려는 순간, 보이지 않는 손에 멱살
이 잡힌 듯한 감각이 들었다. 순간 의식이 멀어졌다. 정신을
차렸을 땐 귓가에서 굉음이 울렸다. 자신의 몸이 공중을 가르
는 소리다. 지면을 향해 곤두박질치듯 떨어지는 소리다.

입을 벌렸지만 목소리가 나오지 않았다. 비명이 되지 못
한 목소리가 목구멍에서 날뛰어 신음으로 나왔다. 아오이의
몸이 바람과 중력의 장난감이 된 듯 뱅글뱅글 회전했다. 신
노가 황급히 쫓아오는 것이 보였다. 아오이의 이름을 부르
며 총알처럼 날아왔다.

아라카와강이 가까워진다. 자그마했던 집들과 그 사이를
꿰매듯이 뻗어 있던 도로가 점차 커진다. 산에 둘러싸인 분
지 마을. 빠져나가려는 자를 가둬 두는 감옥 같은 마을. 그
곳을 오가는 사람들의 모습과 자동차 색깔마저 똑똑히 보이

기 시작했다.

그렇구나, 난 이곳에서 살고 있구나. 태평스럽게 그런 생각을 할 때였다.

"아오!"

일직선으로 날아온 신노가 아오이의 몸을 홱 끌어안았다. 아오이를 안고 전선에 다리를 걸어 다시 한번 크게 도약한다.

얼빠진 정신을 되찾은 아오이는 화들짝 놀라며 소리를 질렀다.

"……뭐 하는 거야!"

드디어 목소리가 나왔다. 콜록콜록하고 기침을 한 번 하고, 신노를 노려보았다. 있는 힘껏 노려보았다.

"아기는 이마에 숨을 불어 주면 울음을 그친다기에……."

신노가 민망해하며 시선을 피했다. 당황한 듯 입술을 삐죽인 그에게 아오이는 "허 참." 하고 피식 웃었다.

아, 그래, 그랬지.

신노는 이런 사람이다.

"……하늘, 파랗네."

조금 전에 낙하했던 하늘을 올려다보며 아오이는 중얼거렸다. 신노가 고개를 갸우뚱했다.

"그렇게 떠나고 싶다 노래를 불렀었는데 이렇게 아름다웠구나."

마을을 둘러싼 산은 가을빛으로 물들어 있었다. 어제 내린 비 덕분에 그 색이 한층 더 선명하게 느껴졌다. 마을도 산도 강도 하늘도 비에 씻겨서 맑은색을 띠었다.

감옥은 몹시도 아름다웠다.

"응, 그러네."

신노의 눈에 파란 하늘과 단풍 든 산들이 비쳤다.

왼쪽 안구에 찍힌 작은 점을 바라보며 아오이는 미소 지었다.

2

쓰러진 거목 때문에 터널로 이어지는 길이 가로막혀 있었다.

한 그루가 아닌 몇 그루가 포개어지듯이 터널 입구를 막고 있다. 마치 이쪽 세계와 저쪽 세계를 분리한 것처럼. 선을 그은 것처럼.

대량의 토사와 암석이 아오이의 발아래까지 흘러내려 와 있다. 누런 흙탕물이 암석 틈새로 계속해서 흘러나왔다.

무언가가 썩는 듯한 냄새가 주위에 충만해 있었다. 그것이 더욱 아오이의 불안을 키웠다.

"언니……."

그렇게 중얼거린 순간, 등 뒤에서 거친 숨소리가 들렸다.

뒤돌아보니 신노스케가 비틀거리며 이쪽으로 달려오고 있었다. 아오이를 발견하고는 "찾았다!" 하고 턱을 타고 흐르는 땀을 닦았다.

"갑자기 하늘을 날다니, 무슨 이런 황당무계한 일이 다 있냐."

거칠게 숨을 헐떡이며 아오이의 눈앞에까지 다가왔다.

"난, 어디 있어. 아카네는……!"

아오이는 아무 말도 하지 않고 눈앞의 산만 한 토사를 쳐다보았다. 등 뒤에서 신노스케가 숨을 삼키는 소리가 들렸다. 마치 작은 비명 같았다.

"서, 설마……."

신노스케가 아오이의 어깨를 잡았다. 짧은 숨을 들이마시며 아오이는 황급히 고개를 저었다.

"터, 터널 입구만 무너진 거야."

괜찮다. 아카네는 분명 무사하다. 아오이는 스스로를 타이르며 설명했다.

"위쪽에 틈이 있어서 거기로 신노가……."

신노의 모습이 사라진 부근을 올려다보았다. 위험할 수 있다며 아오이를 이곳에 내려 주고, 그는 토사가 무너진 위쪽에서 모습을 감췄다.

일이 이 지경이 됐는데도 나무 사이로 보이는 하늘은 쾌청하기 그지없었다. 어찌나 파란지 이곳에서 발을 동동 굴리는 아오이와 신노스케를 비웃고 있는 듯했다.

"알았어."

찰팍, 하고 흙탕물을 튀기며 신노스케가 눈앞의 토사를 기어 올라가려고 했다. 시꺼먼 진흙에 다리를 올리고 튀어 나온 암석을 손으로 잡았다.

"위험하다니까! 언제 무너질지 모르는 상태론 하늘이라도 날지 않고는 못 가!"

얼른 신노스케의 등에 매달렸지만, 그는 물러서지 않았다. 커다란 등은 꼼짝도 하지 않았다.

"놔!"

아카네가! 하고 신노스케가 소리친다. 소리치고 싶은 건 이쪽도 마찬가지야, 하고 아오이는 버럭 화를 낼 뻔했다. 고함치고 싶은 충동을 삼키고 신노스케에게 매달렸다.

뇌리에 아카네의 모습이 스쳐 지나갔다.

웃지 않는다. 화내지도 않는다. 울지도 않는다. 바위와 진흙에 깔린 아카네. 움직이지 않는다. 숨도 쉬지 않는 아카네.

이곳에 도착하기 전까지만 해도 아카네는 분명 무사하리라는 확신이 있었다. 그런데 어째서 이미 이 세상에 없을 것 같은 예감이 드는 걸까.

눈물이 북받쳐 올라 눈을 꼭 감았다. 그때 부모님의 장례식 장면이 머릿속에 떠올랐다. 검은 상복을 입은 수많은 사람이 주변에 득실거린다. 울고 있는 아오이 옆에 아카네가 있다. 아오이의 손을 꼭 쥐고, 앞을 가만히 바라보고 있다.

어린 아오이가 고개를 들었을 때 옆에 아카네가 없었다.

오른쪽을 봐도, 왼쪽을 봐도 뒤를 돌아봐도 없었다.

이상하다.

이젠 아카네뿐인데. 자신의 가족은 아카네밖에 없는데. 왜 없어? 어디 갔어?

앞을 보니 부모님의 영정 사진이 있던 곳에 아카네의 사진이 걸려 있었다.

검은 액자 속에 우는 얼굴 위로 희미한 미소를 덮어쓴 듯 슬픈 미소를 짓는 아카네가 있었다.

어린애였던 자신은 어느샌가 고등학생이 되어 멍하니 아카네의 영정을 보고 있다.

"아카네!"

신노스케가 소리친다. 아오이는 정신을 차렸다.

신노스케는 아카네의 이름을 반복해서 부르며 억지로라도 토사를 오르려고 한다.

"안 된다니까!"

아오이는 고함치며 완강히 버텼다. 안 된다. 절대 안 돼. 만약 신노스케의 신변에 무슨 일이 생긴다면 아카네는 어떻게 되는가. 신노는 어떻게 되는가.

이 모든 것이 '아카네가 무사하다면' 이 전제지만, 신노스케의 팔을 놓을 수 없었다.

"죽어도 안 돼!"

목소리가 쉬었다. 오늘은 종일 소리만 질렀다. 두세 번 기침하면서도 아오이는 끝까지 "안 돼!" 하고 신노스케를 꽉 붙잡았다.

그때 머리 위에서 햇빛이 쏟아져 내리는 느낌이 들었다. 올라가겠다고 억지를 부리던 신노스케의 몸에서 스르륵 힘이 빠졌다.

"너희 뭐 하냐?"

신노의 목소리가 내려왔다. 집 마당에 잘못 들어온 개한테 말을 거는 듯한, 그런 어투였다. 아오이는 그 목소리에 이끌리듯이 머리 위를 올려다보았다.

역광에 그림자가 져서 신노의 얼굴은 보이지 않았다.

하지만 푸른 하늘을 나는 그의 양팔에 아카네가 안겨 있었다. 아카네다. 아카네가 돌아왔다. 아오이 곁으로 무사히 돌아왔다.

아카네가 아오이를 발견하고 싱긋 웃었다. 뺨에 진흙이 묻어 있다. 그것을 닦을 생각도 못 하고 아오이를 보며 웃는다.

아오이는 천천히 신노스케를 잡은 손을 풀었다. 그 자리에 힘없이 주저앉을 뻔하다가 정신을 차렸다.

평평한 곳에 착지하자 아카네는 신노의 팔을 뿌리치듯 이쪽을 향해 달려왔다. 웃고 있다. 상처도 없다. 울고 있지도 않았다. 풍성한 머리카락을 흩날리며 웃는 얼굴로 달려왔다.

"아카네! 다행……."

양팔을 벌린 신노스케의 옆을 아카네는 그대로 지나쳤다.

아오이가 "아……." 하고 입을 연 순간, 아카네가 "아오이!" 하고 와락 껴안았다. 저런, 하고 생각했지만 팔이 자연스럽게 아카네의 몸을 끌어안았다.

"잠깐!"

힘이 어찌나 센지 아오이는 아카네와 함께 바닥에 쓰러졌다. 축축한 흙에 등이 스쳐서 어깨뼈 주변이 따끔했다.

"언니!? 무, 무거워……."

"뭐? 너무해!"

뾰로통하게 볼을 부풀린 아카네가 고개를 들었다. 웃음이 나올 정도로 평소와 똑같은 아카네였다. 눈물이 나올 것 같아서 아오이는 서둘러 입을 열었다.

"괜찮아?"

"다친 데 없어~. 걱정도 참 많아."

이거 봐라, 하고 아카네가 주머니에서 니토베의 펜던트를 꺼냈다. 촌스러운 디자인에 번쩍거리는, 이 모든 일의 원흉을.

"산사태가 일어나기 전에 발견했어."

따지자면 이것 때문에……. 그 눈치 없는 거물 엔카 가수의 환한 미소를 떠올리고, 냅다 던져 버릴까, 잠깐 생각했다.

"지금 그게 중요해!? 다들 걱정했잖아."

떨어진 곳에서 신노와 신노스케가 복잡한 얼굴로 이쪽을 보고 있었다. 하다못해 저 두 사람에게 신경을 조금 써 주면 좋으련만. 그렇게 생각한 순간, 아카네가 더욱 강하게 매달렸다.

"미안해, 아오이~! 걱정 끼쳐서~!"

미안해, 미안해, 라는 말만 되풀이하는 아카네에게 아오이는 어깨를 으쓱했다. 그렇다, 그랬다. 아카네는 항상 자신을 최우선으로 생각해 주었기에 신노스케와 헤어진 것이다. 정말 좋아했던 신노보다, 신노와의 약속보다 나를 선택해 주었다.

그 사랑을, 세상에서 내가 가장 알아줬어야 했다.

"그래! 정말…… 못살아 !"

덩달아 아카네를 꽉 껴안은 아오이는 그 자리에 또다시 벌러덩 쓰러졌다.

아카네는 신노에 대해 아무것도 묻지 않았다. 눈앞에 고등학생 모습의 그가 나타났는데도, 심지어 서른한 살의 신노스케까지 있는데도, 당연하게 아오이를 껴안으러 달려왔다.

터널 안에서 두 사람은 무슨 얘기를 나눴을까.

파란 하늘을 올려다보며 상상하니 이상하게도 행복한 기분이 밀려왔다.

"뭐? 혼자 돌아가겠다고?"

아카네가 짐니를 세운 곳까지 돌아왔을 때 '혼자 돌아가겠다'라는 말을 꺼냈더니 신노스케가 의아한 얼굴로 돌아보았다.

"뭐? 왜? 다 탈 수 있는데?"

눈이 휘둥그레진 아카네가 짐니의 뒷좌석을 가리켰다.

"아니야. 언니 차에 네 사람은 비좁아. 가다가 택시 탈게."

신노스케가 "그럼 내가 내릴게."라고 말했지만, 아오이는 끝까지 고개를 저었다.

"아냐. 셋이 가."

당황하는 신노스케를 힐끗 본 아오이는 아카네와 신노에게 눈짓을 보냈다. 아카네는 고개를 갸웃거렸지만, 신노는 아무 말이 없었다.

그저 묵묵히 아오이를 바라보았다.

"……그럼 안녕, 신노."

그렇게 말하자 신노는 점이 찍힌 맑은 눈동자로 아오이를 보았다. 안녕. 간단한 인사였지만, 유리라도 씹은 기분이었다. 간단한 이별의 말이어서 가슴이 더욱더 쓰라렸다.

신노는 조용히 고개를 끄덕이고, 미소를 지었다.

"고맙다, 눈알 스타."

목구멍까지 올라온 소리를 꾹 삼키고, 아오이는 세 사람에게서 멀어졌다.

조금씩 걷는 속도를 올려 세 사람에게서 자신이 보이지 않게 되었을 지점부터 달리기 시작했다. 아, 그래, 나는 눈알 스타야. 가슴을 두 번, 세 번 두드리며 되뇌었다. 가슴을 고무하며 온 힘을 다해 달렸다.

◆ ◆ ◆

"어? 이놈 잠들었네."

뒷좌석을 돌아보니, 신노가 좌석에 몸을 기댄 채 기분 좋게 자고 있었다.

"자게 놔둬. 고생했는걸."

백미러로 그 모습을 확인한 아카네가 후훗 하고 한숨과 같은 웃음을 흘렸다.

"터널 안에서 저 녀석이랑 무슨 얘기 했어?"

아카네는 핸들을 쥔 채 "궁금해?" 하고 장난스럽게 웃었다.

"나도 자세한 얘기는 아무것도 못 들었거든."

"이것저것 들었지. 신노의 생령이라니, 황당무계하면서도 참 신노다워."

묻고 싶은 것이 수두룩했다. 이 녀석의 정체는 무엇인지. 어떻게 나타났는지. 앞으로 어떻게 되는 건지. 하지만 아카네의 '신노다워'라는 말에 가슴속으로 쏙 들어가 버리고 말았다.

"믿는 거야?"

"그야 실제로 여기에 있으니까."

아무리 그렇지만 너무 대담한 것 아닌가. 조수석에 몸을 묻은 신노스케는 팔짱을 끼고서 끙 하고 신음했다.

희미하게 들려오는 신노의 숨소리에 귀를 기울였다. 자신의 숨소리를 듣다니 귀 뒤쪽이 괜히 가려웠다.

"나 말이야."

"응?"

백미러에 비친 신노의 잠든 얼굴을 빤히 보며 신노스케는 입가의 힘을 뺐다. 대신에 팔에 힘을 꾹 주었다. 가슴에 신노의 체온이 되돌아왔다.

"나 제대로 앞으로 나아가고 있었어."

"뭐?"

"하지만 아직 전부 도중이야. 도중이었다는 걸 깨달았어."

혼자 상경한 그날부터 한 발짝도 나아가지 못하고 있다는 생각이 들었다. 오히려 후퇴한다는 느낌마저 들었다. 아무것도 이루지 못한 채 나이를 먹고, 주변에 뒤처지고 있는 줄 알면서도 꼴사납게 매달렸다. 그런데도 앞으로 나아가지 못한다. 그 시절의 자신의 얼굴을 볼 수가 없다.

그것이 서른한 살의 카나무로 신노스케라고 생각했었다.

"그래서 포기하고 싶지 않아, 나도."

신노에게 붙잡혔던 자신을, 마구 소리친 자신을 떠올리며 신노스케는 앞을 응시했다. 길 끝에는 13년 전에 넘어간 산이 여전히 그곳에 있었다. 자신은 마을을 둘러싼 저 산들을 넘어갔다. 그렇다면 몇 번이든 같은 도전을 할 수 있을 거란 느낌이 들었다.

"응."

미소 짓는 아카네에게 신노스케는 잠깐 뜸을 들이고 말했다.

"그러니까 너도 포기 안 해."

고백한 순간 가슴속을 바람이 스친 듯했다. 향기롭고 시원한, 눈부신 바람이다. 몇 년 만에 느껴보는 감각일까. 뒷좌석을 힐끔 보며 그렇게 생각했다.

"음……"

아카네는 흔들리는 눈빛으로 신노스케를 바라보았다. 신호가 빨강으로 바뀐 것을 보고 서둘러 브레이크를 밟았다. 신노스케가 계기판에 손을 짚으며 조그맣게 고개를 끄덕여 보였다.

무언의 시간이 이어지고, 신호는 다시 파랑이 되었다. 아카네는 천천히 차를 출발시켰다.

"셋이서 간다면."

기어를 바꾸며 아카네가 천천히 중얼거렸다. 아오이를 가리키는 말임을 깨달은 신노스케는 아카네를 보았다.

"그러네. 아오이, 벌써 그때의 나만큼 컸구나."

혼자 산길을 걸어서 돌아간 아오이의 뒷모습을 떠올리며 신노스케는 "그러네." 하고 중얼거렸다.

"덩치도 커지고 무뚝뚝하지만 엄청 솔직하더라."

"솔직한 게 신노를 많이 닮았어."

아카네는 앞을 바라본 채 그렇게 덧붙였다.

고등학생의 아카네와 당시 아직 네 살이었던 아오이의 뒷모습이 신노스케의 뇌리에 떠올랐다. 네 살이었던 아오이가 어느새 자라서 고등학생이 된 모습도.

마찬가지로 자신과 아카네도 어른이 되었다. 꿈과 이상, 밝은 일만 있지 않은 세상을 13년간 각자 살아왔다.

"우물 안 개구리는 바다 넓은 줄 모른다."

아카네가 그렇게 적은 졸업 앨범의 한 페이지를 그 무렵의 신노스케는 직시할 수 없었다. 아카네가 보내는 메시지라고 생각했다. 받아들이고 싶지 않았다. 받아들여서 납득하면 혼자 도쿄에 가지 못하게 될 거라 생각했다.

"그러나 하늘의 푸르름을 안다."

사당 앞에서 찍은 사진을 바지 뒷주머니에서 꺼냈다. 아오이 옆에서 아카네가 웃고 있다. 이 13년간 이 사진을 셀 수 없이 보았다. 사진 속에서 그녀는 항상 미소를 보여 주었다.

"네가 좋아한 말의 의미를 깨달았어. 도쿄에 간 뒤에."

우물 안에서 나갈 수 없는 개구리는 바깥세상을 모른다.

하지만 우물 안에서 올려다본 하늘의 푸르름을, 아름다움을, 사랑스러움을 누구보다 잘 안다.

"다행이야. 내가 아무리 참치마요가 좋다고 해도 여동생이 좋아하는 다시마조림 주먹밥만 만드는 너라서. 여동생을 가장 아낄 줄 아는 너를 좋아해서 다행이야."

아카네는 묵묵히 듣고만 있었다. 신노스케의 얘기가 끝나도 핸들을 쥔 채 아무 말이 없었다.

솔직히 그녀가 무슨 말을 해 주기 바란 것도, 맞장구를 원했던 것도 아니었다. 굳이 말하자면 그녀가 바로 자신에게 '하늘의 푸르름'이었음을 확인했을 뿐이다.

"방금 신노가 한 말, 나를 구하러 왔을 때 신노도 말했었어."

이대로 아무 말 없이 뮤즈 파크에 돌아가려나 보다 했을 때 아카네가 갑자기 그런 말을 꺼냈다. 일부러 이해하기 어렵게 말한 듯했다.

"이번엔 참치마요 주먹밥이라도, 만들어 볼까."

참치와 마요네즈를 섞고 간장도 넣어 볼까. 양파를 넣어도 맛있을 것 같은데 어때? 즐겁게 이야기하는 아카네의, 그 말의 의미를, 참뜻을 이해하는 데 꽤 시간이 걸렸다.

"어?"

신노스케가 천천히 아카네를 돌아보았다. 몸을 내밀었다.

"저기, 그 말은……."

그렇게 말하려다 깜짝 놀라 숨을 삼켰다.

뒷좌석이 비어 있다. 신노가 없었다. 어디에도 없었다.

아무 말도 없이, 인사도 없이 신노스케의 앞에서 사라졌다.

◆ ◆ ◆

나무에 둘러싸인 가느다란 하늘을 올려다보며 달렸다.

그러다 속도에 몸을 맡겨 높이 점프했다. 붕 뜬 몸은 중력으로 순간 무거워진다. 신노처럼 하늘을 날 수는 없었다. 그래도 전진했다. 균형이 무너졌다. 그래도 계속 달렸다.

"아아아아아아아아아아아!"

소리치고, 몇 번이고 점프했다. 흉해 보여도 상관없었다. 이렇게 억지로라도 나아가는 것이 지금 자신이 할 수 있는 유일한 일이라는 생각이 들었다.

"안 울어!"

팔을 흔들고, 넓적다리 올리고, 입을 크게 벌려 숨을 들이마시며 온몸으로 달렸다. 숲이 열리며 넓은 길로 나왔다. 숨을 들이쉬자 전방에서 바람이 불어왔다. 산에서 내리 부는 듯 강한 바람이었다.

그 바람이 아오이의 앞머리를 후 하고 불어 올렸다. 눈을 크게 뜬 아오이는 멈춰 섰다. 이마를 양손으로 만졌다. 만진 곳이 후끈하고 뜨거워졌다.

아, 사라졌구나.

지금 이 순간, 신노는 사라졌다. 아카네와 신노스케를 지켜보고, 안심해서 신노스케에게 돌아갔구나.

아오이는 어깨를 떨며 그 자리에 몸을 웅크렸다. 코를 훌쩍였더니 눈가에서 물방울이 뺨에 흘러내렸다. 턱을 타고 아스팔트에 떨어지려는 물방울을 획 훔쳤다.

"안 울어. 바보 신노……."

입술을 꽉 깨물며 일어났다. 힘 조절을 못 해서 뒤로 쓰러질 뻔했다. 하늘은 여전히 새파랬다. 아주 조금 해가 기울어 있었지만, 그래도 파랬다.

끝없이 파랗다.

눈물 어린 눈동자를 양손으로 가리며 아오이는 걷기 시작했다.

"아…… 하늘 진짜 짜증 나게 파랗네."

이 하늘의 푸르름을 알게 된 자신은 무엇을 할 수 있을까.

무엇이 될 수 있을까.

에필로그

2년 전의 11월. 뮤즈 파크의 야외무대 막 뒤에서 차례를 앞두고 긴장으로 딱딱하게 굳은 아오이의 어깨를 두드린 사람은 신노스케였다.

"이제 나갈 차례야."

베이스 넥 부분을 꽉 쥐며 "알거든?" 하고 최대한 강한 체했다.

고개를 든 아오이의 이마에 신노스케가 딱밤을 세게 먹였다. 따악, 하는 둔탁한 소리와 함께 두개골이 흔들렸다. 오른손으로 이마를 누르며 고통에 신음했다.

무슨 짓이야, 라고 말하려는데 신노스케가 씩 웃었다.

"잘해, 눈알 스타."

자신의 왼쪽 눈을 가리키면서 기타를 안은 신노스케는 무대로 나갔다.

신노, 하고 무심코 목소리가 나왔다. 그의 뒤를 쫓아 무대로 뛰어나갔다. 객석은 만석이었다.

곧바로 손을 흔드는 아카네를 발견했다.

그날의 일을, 아오이는 무대에 오르기 전이면 항상 떠올린다.

"안녕하세요! 〈간다라〉입니다!"
무대에 나와 마이크 앞에 선 아오이는 소리쳤다.
뮤즈 파크에 비하면 터무니없이 작지만 치치부 시내의 라이브 하우스는 관객으로 꽉 차 있었다. 밴드 멤버를 등진 아오이는 숨을 크게 쉬었다.
오늘은 상경하자마자 결성한 밴드 〈간다라〉의 금의환향 공연날이다.
"아직 인디인데 금의환향은 너무 오버 아냐?"라고 마사츠구는 말했다. 하지만 치카는 "원래 이런 건 성대하게 해야 하는 거야!"라고 말해 주었다. 두 사람 모두 오늘 라이브의 접수 스태프를 자진해서 맡아 주었다.
아, 그리고 보니 치카는 최근에 마사미치에게 관심이 간다는 엉뚱한 소리를 했었는데 마사츠구는 그 사실을 알고 있을까. 아니다, 나중에 알려 줘야지. 내친김에 '너도 힘내라'라고 해 줘야겠다.
무대 위에서 씩 웃으며 아오이는 베이스를 잡았다.
연주가 시작됨과 동시에 아카네의 모습이 눈에 들어왔다. 옆에는 신노스케가 있다. 두 사람은 바로 얼마 전에 결혼했다. 하지만 신노스케가 도쿄에서 계속 음악을 하고 있어서 장거리 결혼이라는 기묘한 형태로 신혼 생활을 보내는 중이다. 과연 그래서 될까, 그게 가능한 걸까. 걱정하지 않은 건 아니다.

그래도 좋다.

두 사람이 행복해 보이니까.

라이브장 구석에서 마사츠구와 치카와 마사미치를 발견했다. 마사미치의 표정이 조금 쓸쓸해 보이는 건 옆에 아카네와 신노스케가 있기 때문일까. 배를 박박 긁으며 리듬에 맞춰 몸을 흔드는 마사미치를 보고 있자니, 마사츠구에겐 미안하지만 치카를 응원하고 싶어졌다.

우물 안 개구리는 바다 넓은 줄 모른다.

그러나 하늘의 푸르름을 안다.

나는 넓은 바다로 나간 것일까.

어쩌면 이곳은 아직 우물 안일지도 모른다. 넓은 세상에 나갔다고 착각한 것일지도 모른다.

도쿄에 올라와서 밴드를 결성하고서도 그렇게 생각한 적이 몇 번이나 있다. 계속 달려도 결국 우물에서 나가지 못할지도 모른다고.

그런 생각이 들 때면 아카네가 좋아하는 말을 본받아 하늘을 올려다보았다.

이곳이 어디이든 푸르른 하늘을 똑바로 봐 두자. 흐리든,

비가 오든, 차가운 바람에 눈을 뜨지 못하게 되어도 하늘의
푸르름을 똑똑히 기억하자.

그리하면 끝까지 달릴 수 있으니까.

후기

이 후기를 쓰고 있는 현재는 2019년 6월입니다. 바로 얼마 전에 영화 〈하늘의 푸르름을 아는 사람이여〉의 성우진 발표가 있었습니다.

한창 소설을 집필하는 중에도 '아오이는 어떤 목소리로 말할까?' '신노야, 제발 멋있는 목소리여라'라는 생각을 했었는데, 와카야마 시온 씨, 요시오카 리호 씨, 요시자와 료 씨, 마츠다이라 켄 씨의 이름을 본 순간, 이 일을 맡길 정말 잘했다고 진심으로 생각했습니다.

KADOKAWA의 담당 편집자로부터 소설 『하늘의 푸르름을 아는 사람이여』의 집필 의뢰를 받았을 때 실은 맡을까 말까 짧게 고민했었습니다. 그때가 2019년 3월쯤이었던 것 같습니다. 대량의 마감으로 스케줄이 빽빽한 상황이어서 '일을 더 늘려도 될까……?' 하고 5분 정도 고민한 끝에 하겠다고 답장했었죠.

그때 편집자에게 건네받은 기획서에 오카다 마리 씨의 이름이 있었기 때문입니다.

〈그날 본 꽃의 이름을 우리는 아직 모른다.〉가 방영된 건 제가 대학생일 때였습니다.

소설가를 꿈꾸던 대학생 시절의 저는 오카다 씨가 그린 세계관에 푹 빠져 있었습니다. 애니메이션의 세계이며 그 어떤 등장인물도 이 세상에 없는 존재인데도 현실을 살아가는 우리를 향해 날카로운 칼을 던집니다. 칼에 베여 비명을 지르는 우리에게 '울지만 말고 상처 받으면서도 살아야지.'라는 말을 던지는 것이 오카다 씨가 그리는 이야기였습니다.

만약 소설판 '하늘의 푸르름'을 거절한다면 5년 후, 10년 후에 후회하겠지. 그렇게 생각한 저는 이 작업을 맡기로 했습니다.

무엇보다 편집자가 보여 준 '하늘의 푸르름' 기획서, 타나카 마사요시 씨가 그린 캐릭터 디자인, 오카다 씨가 쓴 각본이 정말 재미있었거든요.

제가 항상 소설이라는 형태로 그려내려고 악전고투하는 '삶에 힘겨워하는 사람들'과 '마음처럼 희망을 품지 못하는 사람들'이 그 안에 살아 있었던 것입니다.

소설판 집필을 떠맡고 한 달 뒤, 나가이 타츠유키 감독이 그린 스토리보드를 받았습니다. 700장에 가까운 스토리보드 속에서 아오이, 아카네, 신노, 신노스케가 생기 넘치게 움직이고 있었습니다.

그날은 작업하는 것도 잊고 많은 양의 스토리보드를 보는데 푹 빠졌습니다. '그날 꽃'의 매력에 빠진 작가에게 있어서 어디에도 공개되지 않은 '하늘의 푸르름'의 스토리보드는 그야말로 귀중한 보물창고였습니다.

어째서 이 신은 아오이를 이 각도로 그린 걸까.

이 신에서는 왜 신노스케의 표정을 보여 주지 않는 걸까.

연필로 그려진 스토리보드에는 나가이 감독의 연출 의도가 가득 채워져 있었고, 저는 그것을 모으는 작업부터 집필을 시작했습니다.

동시에 '내가 소설가로서 이 작품에 할 수 있는 건 뭘까?'라는 점을 고뇌하면서 소설로 풀어내기 시작했습니다.

다양한 등장인물의 시점이 교차하는 극장판과 달리 소설판은 '아이오이 아오이'라는 큰 갈등을 안은 여고생에 초점을 맞추고, '카나무로 신노스케'라는 어른의 시점이 교차하면서 이야기가 흘러갑니다.

이것은 처음 각본을 읽었을 때부터 생각했던 구성이었습니다. '소설'이라는 미디어의 매력은 등장인물의 감정과 사고에 깊이 파고들 수 있는 점에 있다고 생각하기 때문입니다.

그래서 소설판에는 독자적인 설정을 추가하고, 극장판과는 다른 장면을 넣기도 했습니다. 이 시도를 허락하고 진행하게 해 주신 관계자분들께 감사드립니다.

특히 애착이 가는 부분은 막 상경한 신노가 자취하는 아파트에서 꿈을 이루면 아카네를 데리러 가겠다고 맹세하는 장면입니다. 극장판에서는 없는 설정이지만, 그가 사는 집을 세이부이케부쿠로 노선으로 잡고, 치치부로 가는 레드 애로호가 창문으로 보인다는 설정을 넣었습니다.

도쿄에서 사는 그는 어떨 때 고향을 떠올리고, 자신의 결심을 재확인할까. 그걸 생각했을 때 떠오른 것이 레드 애로호였습니다.

실은 저도 학생 시절에 세이부선 노선에 살았던 적이 있습니다. 소설가를 꿈꾸며 시골을 뛰쳐나온 제가 처음 자취를 시작한 곳이 사이타마현 토코로자와시(市)였습니다. 매일 밤 아르바이트를 끝내고 돌아오는 길에 레드 애로호가 제 옆을 달리며 지나갔었습니다.

홀로 집에 가는 길은 항상 생각이 많았던 것 같습니다. 오늘은 이걸 잘 못했다. 좀 더 이렇게 할걸. 그렇게 생각하는 사이에 고민은 점점 더 커져만 갔고, '이렇게 해서 과연 소설가가 될 수 있을까?' 하고 쓸데없는 걱정을 키웠죠.

그런 저를 레드 애로호는 씩씩하고 힘차게 앞질러 지나갔습니다. 그러면 무의식적으로 그 회색 차체를 노려봤었죠.

스토리보드를 한 손에 들고 신노를 그려낼 때면 이따금 그 레드 애로호가 떠올랐습니다. 어쩌면 신노도 마찬가지로 회색 차체에 그어진 새빨간 선을 노려보며 자신이 나아갈

길을 속으로 다졌을지도 모르겠구나, 하고요.

이 장면을 쓴 순간, 고등학생인 신노와 서른한 살 뮤지션인 카나무로 신노스케가 완벽하게 이어졌고, 작품 후반부를 향해 달려가 주었습니다.

이 후기를 읽어 주신 여러분은 이미 본편을 끝까지 읽은 분이실까요. 아니면 이제부터 읽으려고 하는 분이실까요.

끝까지 읽으신 분. 소설 『하늘의 푸르름을 아는 사람이여』는 어떠셨습니까.

이제부터 읽으려고 하시는 분. 극장판과 살짝 달라진 세계에서 펼쳐지는 '하늘의 푸르름'을 재미있게 읽어 주신다면 소설판을 담당한 소설가로서 정말 행복할 것 같습니다.

마지막으로 학생 때부터 좋아했던 '초평화 버스터즈*'와 작품을 함께할 기회를 주신 KADOKAWA의 편집 담당자 K님. 정말 감사합니다.

"『이시이 카나코가 웃는다면』의 작가, 누카가 씨가 쓴 『하늘의 푸르름을 아는 사람이여』를 읽어보고 싶다."

처음 '하늘의 푸르름'의 기획서를 보여 주신 날 그렇게 말씀해 주신 덕분에 이렇게 소설판을 작업할 수 있었습니다.

---

* 일본 애니메이션 제작팀. 〈그날 본 꽃의 이름을 우리는 아직 모른다.〉, 〈마음이 외치고 싶어해〉 등을 제작했다.

우물 안 개구리는 바다 넓은 줄 모른다. 그러나 하늘의 푸르름을 안다.

멋진 말입니다. 하늘의 푸르름을 아는 사람은 무엇을 할 수 있을까. 어디로 갈 수 있을까. 그런 식으로 푸른 하늘을 끝없이 넓히게 해 주는 말입니다.

이 책을 읽어 주신 여러분과 그런 파란 하늘 아래에서 또 만나게 되길 바랍니다.

누카가 미오

하늘의 푸르름을 아는 사람이여

2022년 04월 20일 제1판 인쇄
2022년 05월 01일 제1판 발행

지음 누카가 미오
옮김 김봄

펴낸곳 영상출판미디어(주)
등록번호 제 2002-000003호
주소 21315 인천광역시 부평구 부평대로 283 A동 702호
전화 032-505-2973(代) | **FAX** 032-505-2982

ISBN 979-11-380-1267-6

노블엔진 POP(NOVEL ENGINE POP)은 영상출판미디어(주)의 대중소설 브랜드입니다.